4학년이 꼭 알아야 할

4학년이 꼭 알아야 할

수학 문장제

수학 문장제의 구성

1. 1학년부터 6학년까지 각 학년별 한 권씩으로 구성되어 있습니다.
2. 상위권 학생은 물론 중하위권 학생까지 누구나 쉽게 공부할 수 있도록 구성하였습니다.
3. 각종 수학 문장제를 해결하는 방법을 명쾌히 제시하여 수학 문장제에 자신감을 얻도록 하였습니다.
4. 자학자습용으로 뿐만 아니라 학원에서 특강용으로 활용할 수 있도록 구성하였습니다.

수학 문장제의 특징

탐구문제
각 문장제의 원리를 알 수 있도록 구성하였습니다.

확인문제
탐구문제에서 터득한 원리를 확인할 수 있도록 하였습니다.

동메달 따기
문장제의 기본 원리를 적용하여 문제 해결을 함으로써, 자신감을 갖도록 하였습니다.

은메달 따기
동메달 따기에서 얻은 자신감을 바탕으로 좀 더 향상된 문제해결력을 지닐 수 있도록 하였습니다.

금메달 따기
다소 발전적인 문제로 구성되어, 도전의식을 지니고 문제를 해결해 보도록 하였습니다.

Contents
차례

1 곱셈식과 나눗셈식 세워 해결하기 ··············· 4

2 혼합 계산식 세워 해결하기 ··············· 10

3 합과 차를 이용하여 해결하기 ··············· 16

4 거꾸로 생각하여 해결하기 ··············· 22

5 한쪽을 지워서 해결하기 ··············· 28

6 바둑돌 늘어놓기 유형 해결하기 ··············· 34

7 나무심기 유형 해결하기 ··············· 40

8 규칙적으로 반복되는 유형 해결하기 ··············· 46

9 평균에 관한 문제 해결하기 ··············· 52

야호!!
금메달.

재밌는
문장제
문제풀이

10 차가 일정한 점을 이용하여 해결하기 ············ 58

11 합이 일정한 점을 이용하여 해결하기 ············ 64

12 차량의 통과에 관한 문제 해결하기 ·············· 70

13 남고 모자람의 관계를 이용하여 해결하기 ······· 76

14 부분을 알고 전체의 양 구하기 ···················· 82

15 전체를 한쪽으로 가정하여 해결하기 ············· 88

총괄 평가 1회 ·· 94

총괄 평가 2회 ·· 99

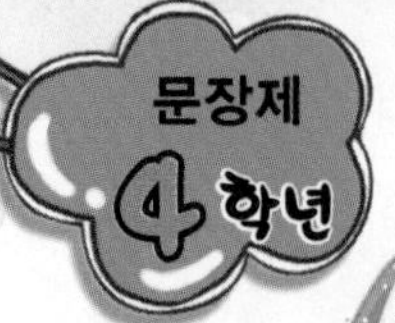

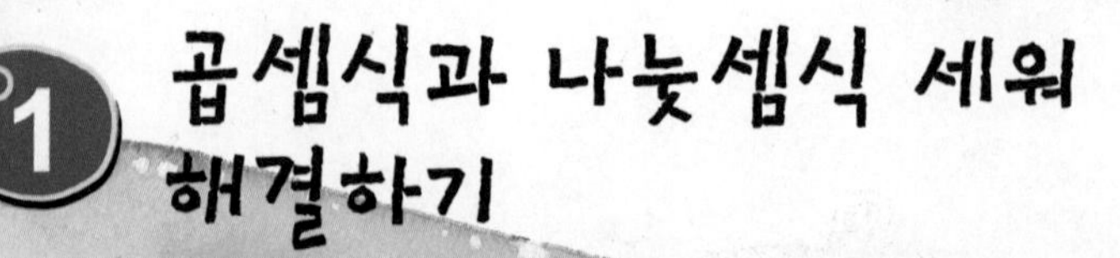

1 곱셈식과 나눗셈식 세워 해결하기

탐구 문제

어느 극장의 입장료가 어른은 8000원, 어린이는 4000원이라고 합니다. 이 극장에 어른 6명과 어린이 24명이 입장하려고 합니다. 어른 6명의 입장료와 어린이 24명의 입장료는 각각 얼마인지 구하시오.

풀이 어른 1명의 입장료가 8000원이므로 어른 6명의 입장료를 곱셈식으로 나타내면 $8000 \times 6 = 48000$(원)입니다.
어린이 1명의 입장료가 4000원이므로 어린이 24명의 입장료를 곱셈식으로 나타내면 $4000 \times 24 = 96000$(원)입니다.
따라서, 어른 6명의 입장료는 48000원이고,
어린이 24명의 입장료는 96000원입니다.

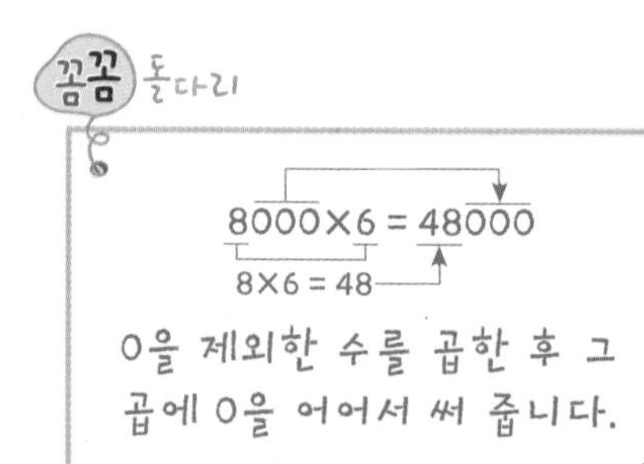

Check Point

주어진 문제에 알맞은 곱셈식 또는 나눗셈식을 세워서 문제를 해결합니다.

확인 문제

자동차 공장의 로봇은 나사를 1분에 41개 끼울 수 있습니다. 이 로봇이 4시간 동안에는 나사를 몇 개나 끼울 수 있는지 구하시오.

1 로봇은 1분에 나사를 몇 개 끼울 수 있습니까?

( )

2 4시간은 몇 분입니까?

( )

3 로봇은 4시간 동안 나사를 몇 개 끼울 수 있는지 식을 세워 구하시오.

( )

곱셈식과 나눗셈식 중 어느 것을 사용해야 할까요?

생각의 샘

1 한 상자에 48개씩 들어 있는 귤이 16상자 있습니다. 귤은 모두 몇 개인지 구하시오.

> ★씩 ●묶음
> ➡ ★×●

답 ____________

2 한초네 목장에서는 우유를 하루에 75L씩 생산합니다. 매일 같은 양의 우유를 생산한다면, 1년 동안 몇 L를 생산하게 되는지 구하시오. (단, 1년은 365일로 생각합니다.)

답 ____________

3 ㉮×30과 ㉯×300의 값이 같다고 한다면, ㉮는 ㉯의 몇 배인지 구하시오.

> ㉮의 값을 10으로 생각하면 ㉯의 값은 얼마이어야 하는지 구해 보세요.

답 ____________

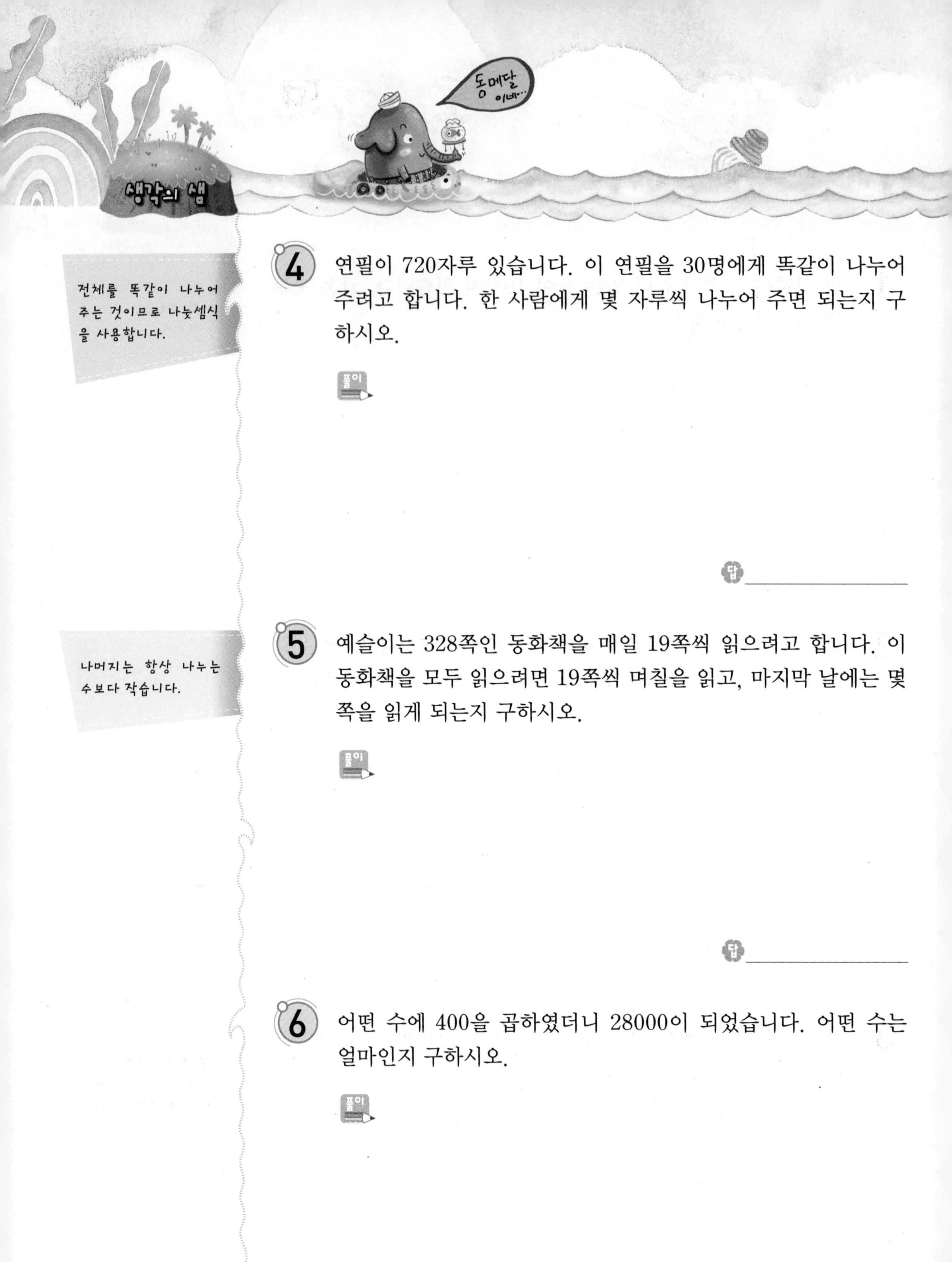

전체를 똑같이 나누어 주는 것이므로 나눗셈식을 사용합니다.

4 연필이 720자루 있습니다. 이 연필을 30명에게 똑같이 나누어 주려고 합니다. 한 사람에게 몇 자루씩 나누어 주면 되는지 구하시오.

풀이

답 ________________

나머지는 항상 나누는 수보다 작습니다.

5 예슬이는 328쪽인 동화책을 매일 19쪽씩 읽으려고 합니다. 이 동화책을 모두 읽으려면 19쪽씩 며칠을 읽고, 마지막 날에는 몇 쪽을 읽게 되는지 구하시오.

풀이

답 ________________

6 어떤 수에 400을 곱하였더니 28000이 되었습니다. 어떤 수는 얼마인지 구하시오.

풀이

답 ________________

1 세 자리 수 중 가장 큰 수와 20의 곱을 구하시오.

가장 큰 두 자리 수는 99입니다. 그렇다면 가장 큰 세 자리 수는?

풀이

답 ______________

2 리본 한 개를 만드는 데 55cm의 색 테이프가 필요합니다. 4m 32cm의 색 테이프로 만들 수 있는 리본은 몇 개인지 구하시오.

1m = 100cm입니다.

답 ______________

3 동민이네 양계장에서 하루에 생산되는 달걀은 280개라고 합니다. 15일 동안 생산된 달걀을 한 개에 90원씩 팔았다면, 달걀을 판 돈은 모두 얼마인지 구하시오.

(달걀을 판 금액)
=(하루 동안 생산되는 달걀의 수)
×(생산한 날 수)
×(달걀 한 개의 가격)

답 ______________

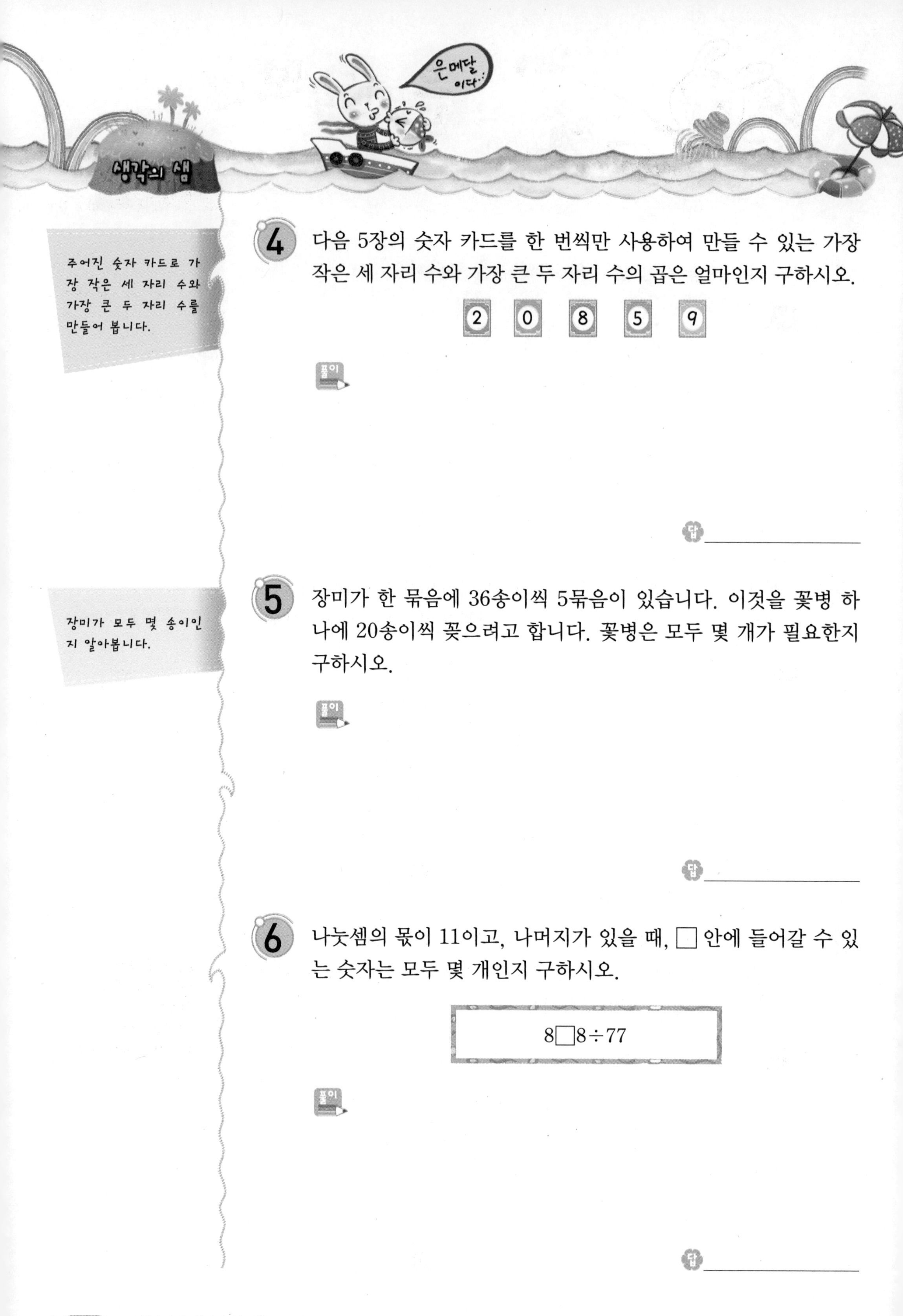

주어진 숫자 카드로 가장 작은 세 자리 수와 가장 큰 두 자리 수를 만들어 봅니다.

4 다음 5장의 숫자 카드를 한 번씩만 사용하여 만들 수 있는 가장 작은 세 자리 수와 가장 큰 두 자리 수의 곱은 얼마인지 구하시오.

2 0 8 5 9

풀이

답 ____________

장미가 모두 몇 송이인지 알아봅니다.

5 장미가 한 묶음에 36송이씩 5묶음이 있습니다. 이것을 꽃병 하나에 20송이씩 꽂으려고 합니다. 꽃병은 모두 몇 개가 필요한지 구하시오.

풀이

답 ____________

6 나눗셈의 몫이 11이고, 나머지가 있을 때, □ 안에 들어갈 수 있는 숫자는 모두 몇 개인지 구하시오.

8□8÷77

풀이

답 ____________

1 가영이네 집에서는 오이를 684개 땄습니다. 한 상자에 32개씩 담아서 상자 단위로 팔려고 합니다. 한 상자에 5000원을 받고 판다면 오이를 판 돈은 얼마인지 구하시오.

상자 단위로 판다 하였으므로 낱개는 팔지 못합니다.

풀이

답 ____________

2 모자를 만드는 어느 공장에서 9명이 일하고 있습니다. 한 사람이 하루에 135개의 모자를 만든다고 합니다. 이 공장에서 6일 동안 만든 모자를 한 상자에 50개씩 담으려면 몇 상자에 담을 수 있고, 몇 개의 모자가 남는지 구하시오.

(전체 모자 수)
=(한 사람이 하루 동안 만드는 모자 수)
×(사람 수)×(날 수)

풀이

답 ____________

3 각 자리의 숫자의 합이 10인 세 자리 수가 있습니다. 이 수를 80으로 나누었더니 몫이 두 자리 수이고, 나머지는 30이었습니다. 이 세 자리 수를 구하시오.

세 자리 수를 ■▲★이라 하면 ■+▲+★=10입니다.

풀이

답 ____________

2 혼합 계산식 세워 해결하기

탐구 문제

한별이는 편의점에서 3개에 2400원 하는 비누 7개와 1개에 1250원 하는 치약 3개를 사려고 합니다. 비누 7개와 치약 3개의 값은 모두 얼마인지 구하시오.

풀이

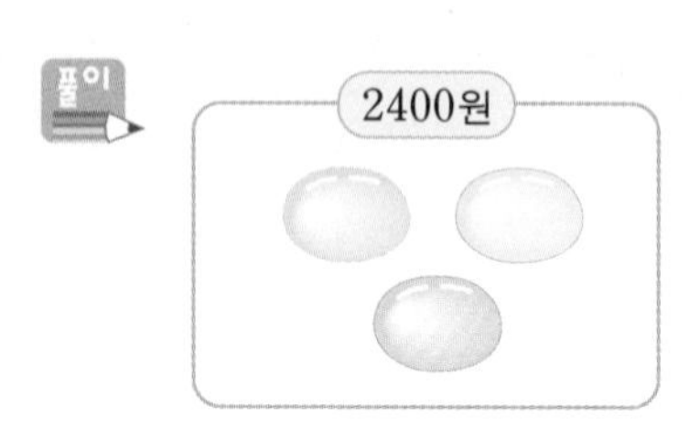

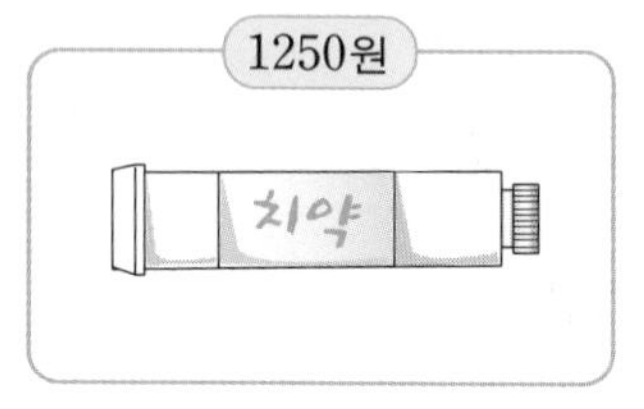

비누 1개의 값은 $2400\div3=800$(원)이므로 비누 7개의 값은 $800\times7=5600$(원)이고,
치약 3개의 값은 $1250\times3=3750$(원)입니다.
이를 하나의 식으로 나타내면
$2400\div3\times7+1250\times3=9350$(원)입니다.
따라서, 비누 7개와 치약 3개의 값은 모두 9350원입니다.

꼼꼼 돌다리
덧셈, 곱셈, 나눗셈이 섞여 있는 식에서는 곱셈과 나눗셈을 먼저 계산하고, 앞에서부터 차례로 계산합니다.

Check Point
문제의 조건에 맞도록 혼합 계산식을 세워 답을 구합니다.

확인 문제

지혜는 1자루에 160원 하는 연필 6자루와 1권에 250원 하는 공책 9권을 사고 5000원짜리 지폐를 1장 냈습니다. 거스름돈은 얼마인지 구하시오.

1 연필 6자루의 값은 얼마인지 식을 세워 구하시오.

( )

2 공책 9권의 값은 얼마인지 식을 세워 구하시오.

( )

3 거스름돈은 얼마인지 하나의 식을 세워 구하시오.

( )

빼셈과 곱셈이 섞여있는 식을 세워보세요!

1 석기는 아버지로부터 2000원을 받아 950원짜리 필통 한 개를 사고, 어머니로부터 1500원을 받아 550원짜리 공책 한 권을 샀습니다. 남은 돈은 모두 얼마인지 구하시오.

(남은 돈)
=(필통을 사고 남은 돈)
+(공책을 사고 남은 돈)

풀이

답 ____________

2 동민이는 빨간색 색종이 41장과 파란색 색종이 33장을 가지고 있고, 예슬이는 동민이가 가진 색종이의 2배보다 20장 더 적게 가지고 있습니다. 예슬이가 가지고 있는 색종이는 몇 장인지 구하시오.

(예슬이가 가지고 있는 색종이 수)
=(동민이가 가지고 있는 색종이 수)×2－20

풀이

답 ____________

3 한 상자에 120개씩 들어 있는 방울토마토 3상자를 사서 8가족이 똑같이 나누어 갖는다면, 한 가족은 몇 개의 방울토마토를 가지게 되는지 구하시오.

풀이

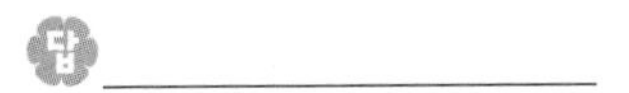
답 ____________

(걸리는 시간)
=(전체 종이학의 수)
÷(한 시간에 접는 종이학 수)

4 한 사람이 한 시간에 종이학을 15마리씩 접는다고 합니다. 6사람이 360마리의 종이학을 접으려면 몇 시간이 걸리는지 구하시오. (단, 사람마다 종이학을 접는 빠르기는 모두 같습니다.)

풀이

답 ______________

사과 1개의 값은
(1400÷4)원입니다.

5 4개에 1400원 하는 사과 5개와 1개에 180원 하는 귤 7개를 샀습니다. 사과 5개와 귤 7개의 값은 모두 얼마인지 구하시오.

답 ______________

하루에 생산하는 상추의 양은 얼마인지 알아봅니다.

6 석기네 농장에서는 4일 동안 상추 368kg을 생산합니다. 매일 같은 양의 상추를 생산할 때, 3월과 4월 두 달 동안 생산한 상추는 모두 몇 kg인지 구하시오.

답 ______________

생각의 샘

1 아버지의 연세는 내 나이의 4배보다 5살 더 적고, 할아버지의 연세는 아버지의 연세의 2배라고 합니다. 할아버지의 연세가 78세라고 할 때, 내 나이는 몇 살인지 구하시오.

> (아버지의 연세)
> =(내 나이)×4－5
> (할아버지의 연세)
> =(아버지의 연세)×2

풀이

답 ________________

2 한초는 상, 하 두 권으로 되어 있는 동화책을 샀는데 상권은 156쪽, 하권은 128쪽이었습니다. 처음 하루는 32쪽을 읽고, 나머지는 3주 동안 매일 같은 쪽수씩 읽어 다 읽었습니다. 나머지는 하루에 몇 쪽씩 읽은 것인지 구하시오.

> (3주 동안 읽은 동화책의 쪽수)
> =(동화책의 전체 쪽수)－32

답 ________________

3 보트 한 척을 빌려 타는 데 10분당 2500원씩 합니다. 보트 4척을 12사람이 1시간 30분 동안 빌려 탔습니다. 12사람이 똑같이 돈을 낸다면 한 사람이 얼마씩 내야 하는지 구하시오.

> 보트를 빌리는 데 드는 돈이 얼마인지 알아봅니다.

답 ________________

(어떤 수)÷49 = 18 … 22

4 어떤 수를 49로 나누었더니 몫이 18이고, 나머지가 22였습니다. 이 수를 27로 나눈 몫과 나머지의 합은 얼마인지 구하시오.

풀이

답 ____________

(과일을 사고 남은 돈)
+(아버지께서 주신 돈)
=(동화책 두 권의 값)

5 한별이는 8000원을 가지고 650원짜리 과일 8개를 샀습니다. 과일을 사고 남은 돈과 아버지께서 주신 돈을 합하여 4500원짜리 동화책을 두 권 샀더니 남은 돈이 없었습니다. 아버지께서 주신 돈은 얼마인지 구하시오.

풀이

답 ____________

(살고 있는 가구 수)
=(총 가구 수)
-(비어 있는 가구 수)

6 예슬이가 사는 아파트 단지에는 12층짜리가 7개동, 15층짜리가 5개동 있고 한 층에는 8가구씩 들어갑니다. 아직 이사를 다 오지 않아서 12층짜리는 14가구, 15층짜리는 9가구가 비어 있습니다. 현재 예슬이네 아파트 단지에 살고 있는 가구 수는 몇 가구인지 구하시오.

풀이

답 ____________

1 한별이는 생일잔치에 초대한 13명에게 똑같이 나누어 주려고 사탕을 몇 개 준비하였습니다. 그런데 4명이 참석하지 않아서 사람마다 2개씩 더 주었더니 사탕이 10개 남았습니다. 준비한 사탕은 몇 개인지 구하시오.

> 참석하지 않은 학생에게 나누어 줄 사탕의 수를 알아봅니다.

답 ____________

2 한 시간에 93km씩 달리는 고속버스와 한 시간에 75km씩 달리는 트럭이 있습니다. 고속버스는 서울에서 부산 방향으로 출발하고, 트럭은 서울에서 432km 떨어진 부산에서 서울 방향으로 동시에 출발하여 각각 일정한 빠르기로 달렸습니다. 고속버스와 트럭 사이의 거리가 처음으로 208km가 된 것은 고속버스와 트럭이 몇 분간 달렸을 때인지 구하시오.

> (고속버스와 트럭이 달린 거리의 합)
> =(전체 거리)
> −(고속버스와 트럭 사이의 거리)

답 ____________

3 54와 105를 어떤 수로 나누었을 때, 각각의 나머지의 합은 9이고 몫은 큰 쪽이 작은 쪽의 2배라고 할 때, 어떤 수를 모두 구하시오.

> 어떤 수를 ■라 하면
> 54÷■=▲···●
> 105÷■=★···◆
> 에서 ★=2×▲,
> ◆+●=9입니다.

풀이

답 ____________

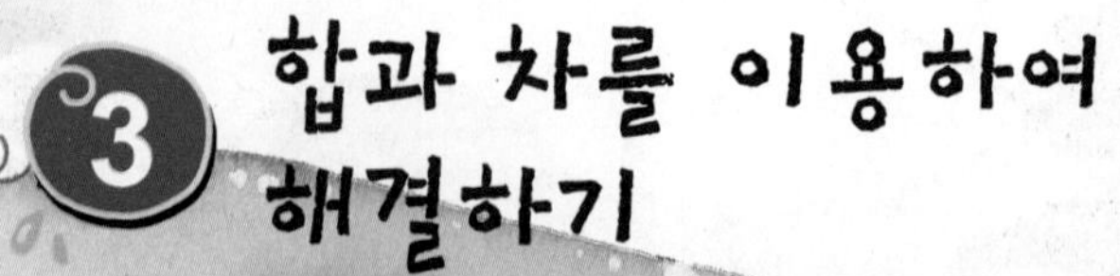

3 합과 차를 이용하여 해결하기

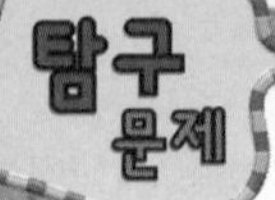

두 비커에 들어 있는 물의 무게의 합은 800g이고, 큰 비커에 들어 있는 물의 무게는 작은 비커에 들어 있는 물의 무게보다 200g 더 무겁습니다. 두 비커에 들어 있는 물의 무게는 각각 몇 g인지 구하시오.

풀이 큰 비커에 들어 있는 물의 무게와 작은 비커에 들어 있는 물의 무게를 각각 선분으로 나타내어 보면,

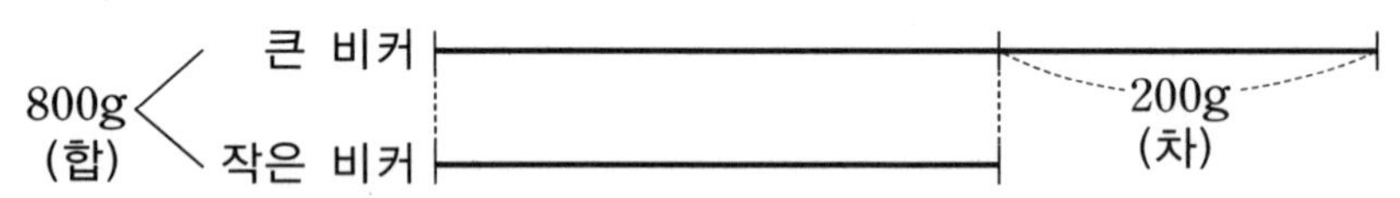

따라서, 작은 비커에 들어 있는 물의 무게는 $(800-200)\div2=300$(g)이고,
큰 비커에 들어 있는 물의 무게는 $800-300=500$(g)입니다.

꼼꼼 돌다리

합과 차를 선분으로 나타내어 보는 습관이 중요합니다.

Check Point

두 수의 합과 차가 주어졌을 때,
(작은 수)=(합−차)÷2, (큰 수)=(합+차)÷2

확인 문제

어떤 그릇에 4kg의 설탕이 담겨 있습니다. 이 설탕을 예슬이와 규형이가 나누어 가질 때, 규형이가 예슬이보다 500g 더 많이 가지려면 예슬이는 몇 kg 몇 g의 설탕을 가져야 하는지 구하시오.

1kg은 1000g이예요.

1 예슬이가 가질 설탕의 양과 규형이가 가질 설탕의 양을 선분으로 나타내 보려고 합니다. □ 안에 알맞은 수를 써 넣으시오.

□g (합)

2 예슬이는 몇 kg 몇 g의 설탕을 가져야 하는지 구하시오.

(   )

생각의 샘

(1) 구슬 108개를 상연이와 웅이가 나누어 가졌습니다. 상연이가 가진 구슬이 웅이가 가진 구슬보다 28개 더 많다면, 상연이가 가진 구슬은 몇 개인지 구하시오.

합이 108, 차가 28인 두 수를 구해 봅니다.

풀이

답 ____________

(2) 길이가 25cm인 리본을 잘라서 두 리본 조각을 대어 보았더니, 한쪽이 다른 한쪽보다 5cm 더 짧았습니다. 잘라진 두 리본 중 짧은 리본의 길이는 몇 cm인지 구하시오.

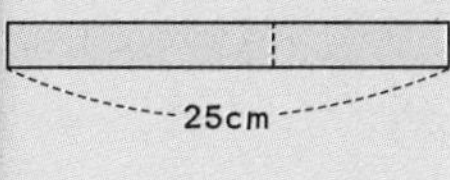

풀이

답 ____________

(3) 한별이와 석기의 몸무게의 합은 75kg입니다. 한별이가 석기보다 5kg 더 가볍다면, 한별이의 몸무게는 몇 kg인지 구하시오.

한별이와 석기의 몸무게를 선분으로 나타내어 봅니다.

풀이

답 ____________

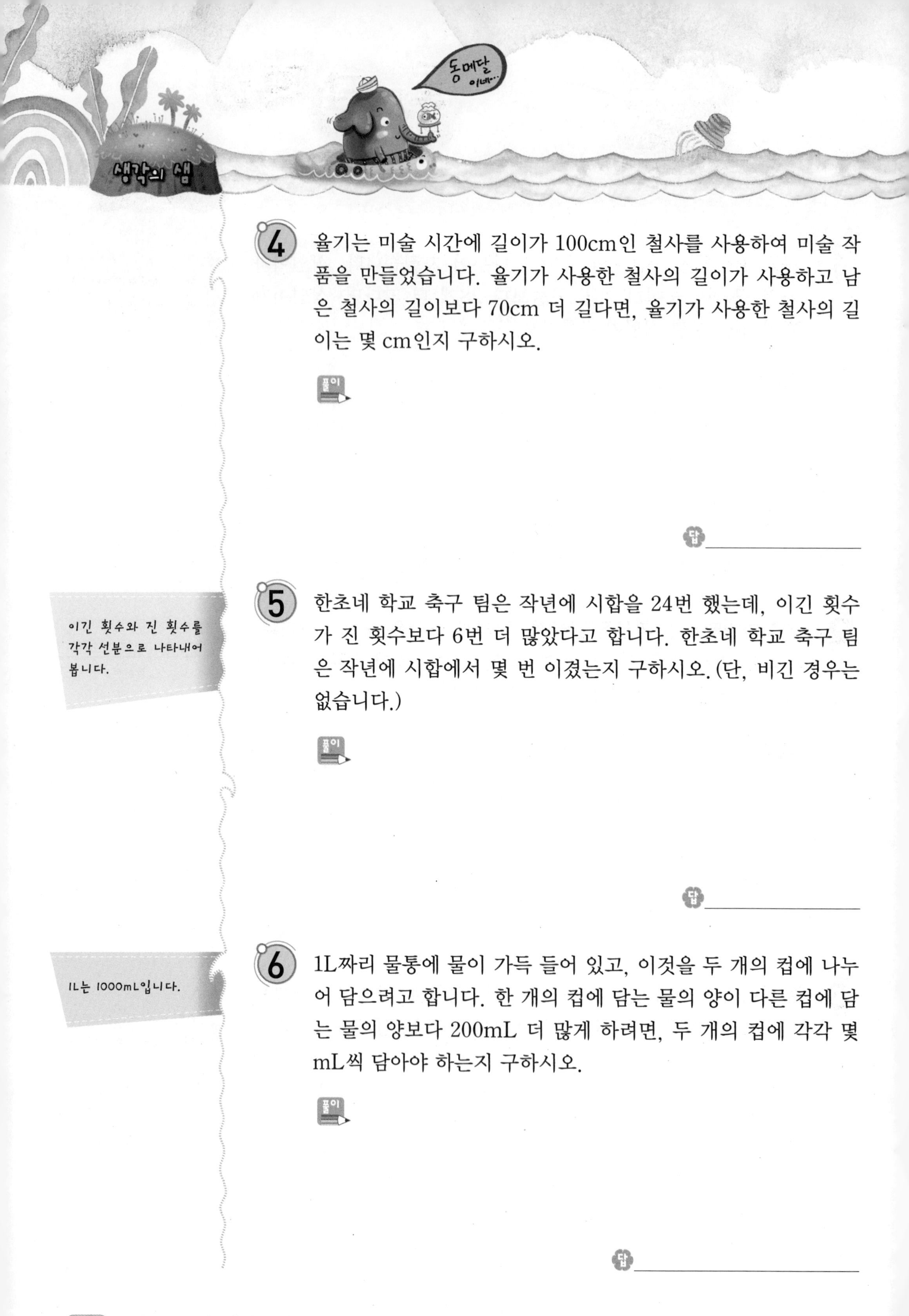

4 율기는 미술 시간에 길이가 100cm인 철사를 사용하여 미술 작품을 만들었습니다. 율기가 사용한 철사의 길이가 사용하고 남은 철사의 길이보다 70cm 더 길다면, 율기가 사용한 철사의 길이는 몇 cm인지 구하시오.

풀이

답 ____________

이긴 횟수와 진 횟수를 각각 선분으로 나타내어 봅니다.

5 한초네 학교 축구 팀은 작년에 시합을 24번 했는데, 이긴 횟수가 진 횟수보다 6번 더 많았다고 합니다. 한초네 학교 축구 팀은 작년에 시합에서 몇 번 이겼는지 구하시오.(단, 비긴 경우는 없습니다.)

풀이

답 ____________

1L는 1000mL입니다.

6 1L짜리 물통에 물이 가득 들어 있고, 이것을 두 개의 컵에 나누어 담으려고 합니다. 한 개의 컵에 담는 물의 양이 다른 컵에 담는 물의 양보다 200mL 더 많게 하려면, 두 개의 컵에 각각 몇 mL씩 담아야 하는지 구하시오.

풀이

답 ____________

1 리본 $4\frac{1}{4}$m를 한별이와 형이 나누어 가졌습니다. 한별이가 형보다 $\frac{1}{4}$m 짧게 가졌다면, 한별이가 가진 리본과 형이 가진 리본은 각각 몇 m인지 구하시오.

(전체 리본의 길이)
=(한별이가 가진 리본의 길이)+(형이 가진 리본의 길이)

풀이

답 ______________________

2 가영이네 집에서 우체국을 거쳐 학교까지의 거리는 1km입니다. 집에서 우체국까지의 거리는 우체국에서 학교까지의 거리보다 140m 더 가까울 때, 우체국에서 학교까지의 거리는 몇 m인지 구하시오.

1km는 1000m입니다.

풀이

답 ______________________

3 호박 1통과 멜론 1통의 무게의 합은 2.1kg입니다. 호박 1통의 무게가 멜론 1통의 무게보다 100g 더 무겁다면, 멜론 1통의 무게는 몇 kg인지 구하시오.

100g = 0.1kg

풀이

답 ______________________

kg 단위로 고쳐서 계산합니다.

4 10.4kg의 비료를 수박밭과 참외밭에 뿌렸습니다. 수박밭에 뿌린 비료가 참외밭에 뿌린 비료보다 2400g 더 많다면, 참외밭에 뿌린 비료의 무게는 몇 kg인지 구하시오.

답 ____________

비긴 횟수를 빼고 생각합니다.

5 동민이와 지혜가 주사위놀이를 22번 하였습니다. 그 중 2번은 비기고, 동민이가 지혜보다 6번 더 많이 이겼다면, 동민이가 이긴 횟수는 몇 번인지 구하시오.

답 ____________

(동민이와 규형이에게 준 우표의 수의 합)
=(한솔이가 가지고 있던 우표의 수)
-(남은 우표의 수)

6 한솔이는 280장의 우표를 가지고 있었습니다. 이 중 동민이에게 몇 장을 주고, 규형이에게는 동민이보다 12장 적게 주었더니 198장이 남았습니다. 한솔이가 동민이에게 준 우표는 몇 장인지 구하시오.

답 ____________

1 선생님께서 100장의 스티커를 석기, 한초, 영수에게 나누어 주셨습니다. 석기에게 20장을 주고, 한초에게는 영수보다 10장을 더 주었더니 10장의 스티커가 남았습니다. 영수가 선생님께 받은 스티커는 몇 장인지 구하시오.

(한초와 영수가 받은 스티커 수의 합)
=(100－10－20)장

답 ______________

2 키위 1개와 자두 1개, 복숭아 1개의 무게의 합은 800g입니다. 키위 1개의 무게는 0.25kg이고, 자두 1개의 무게가 복숭아 1개의 무게보다 200g 더 가볍습니다. 복숭아 1개의 무게는 몇 g인지 구하시오.

(자두 1개와 복숭아 1개의 무게의 합)
=800g－(키위 1개의 무게)

답 ______________

3 저금통에 10원짜리와 50원짜리, 100원짜리 동전이 합하여 50개 들어 있습니다. 100원짜리가 15개이고, 50원짜리가 10원짜리보다 25개 더 많이 들어 있을 때, 이 저금통에 들어 있는 돈은 모두 얼마인지 구하시오.

답 ______________

4 거꾸로 생각하여 해결하기

탐구 문제

한별이는 어머니께서 주신 용돈으로 문방구점에서 850원을 쓴 뒤 장난감 가게에서 1300원을 썼더니 350원이 남았습니다. 어머니께서 한별이에게 주신 용돈은 얼마인지 구하시오.

풀이 문제를 그림으로 나타내면 다음과 같습니다.

㉮	-850 → / ← $+850$	㉯	-1300 → / ← $+1300$	350

꼼꼼 돌다리

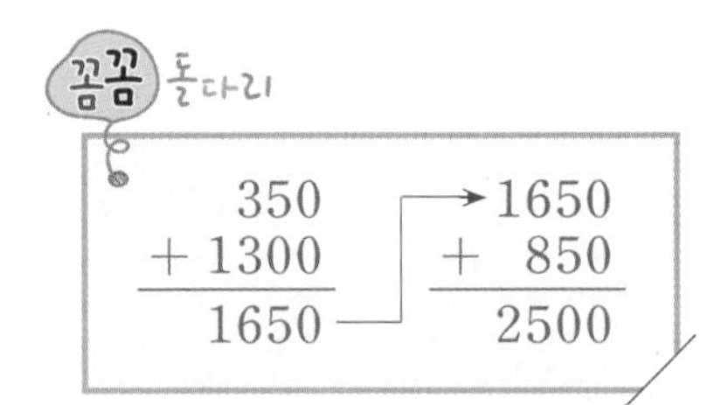

$$\begin{array}{r} 350 \\ +\,1300 \\ \hline 1650 \end{array} \quad \rightarrow \quad \begin{array}{r} 1650 \\ +\,850 \\ \hline 2500 \end{array}$$

㉯에 들어갈 수는 $350+1300=1650$, ㉮에 들어갈 수는 $1650+850=2500$입니다.
따라서, 어머니께서 한별이에게 주신 용돈은 2500원입니다.

Check Point

주어진 결과로부터 거꾸로 계산하여 해결합니다.

확인 문제 어떤 수에 8을 곱하고 4를 더한 뒤 31로 나눈 수가 4입니다. 어떤 수를 구하시오.

1 문제를 그림으로 나타내면 다음과 같습니다. 빈 칸에 알맞은 수를 써 넣으시오.

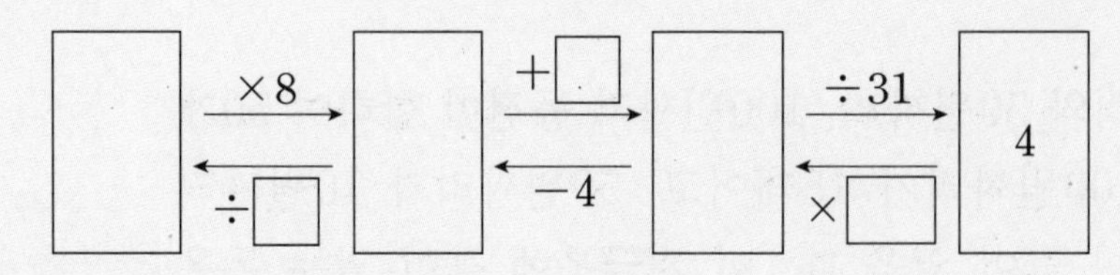

+를 거꾸로 하면 −
−를 거꾸로 하면 +
×를 거꾸로 하면 ÷
÷를 거꾸로 하면 ×

2 어떤 수를 구하시오.

(　　　　　　　　)

생각의 샘

1 영수는 가지고 있던 돈으로 스케치북을 사는 데 1500원, 줄넘기를 사는 데 1000원을 썼더니 2000원이 남았습니다. 영수가 처음에 가지고 있던 돈은 얼마인지 구하시오.

주어진 결과로부터 거꾸로 생각하여 해결하세요!

풀이

답 ________________

2 냉장고에 우유 한 병이 있었습니다. 한초와 동생이 각각 200mL, 150mL씩 우유를 먹었더니 650mL의 우유가 남았습니다. 처음 냉장고에 있던 우유는 몇 L였는지 구하시오.

답 ________________

3 수조에 물이 들어 있었습니다. 2500mL들이 양동이로 물을 1번 퍼내고, 3000mL들이 물통으로 물을 1번 부었더니 수조의 물이 5.5L가 되었습니다. 처음 수조에 들어 있던 물은 몇 L인지 구하시오.

5.5L = 5500mL

풀이

답 ________________

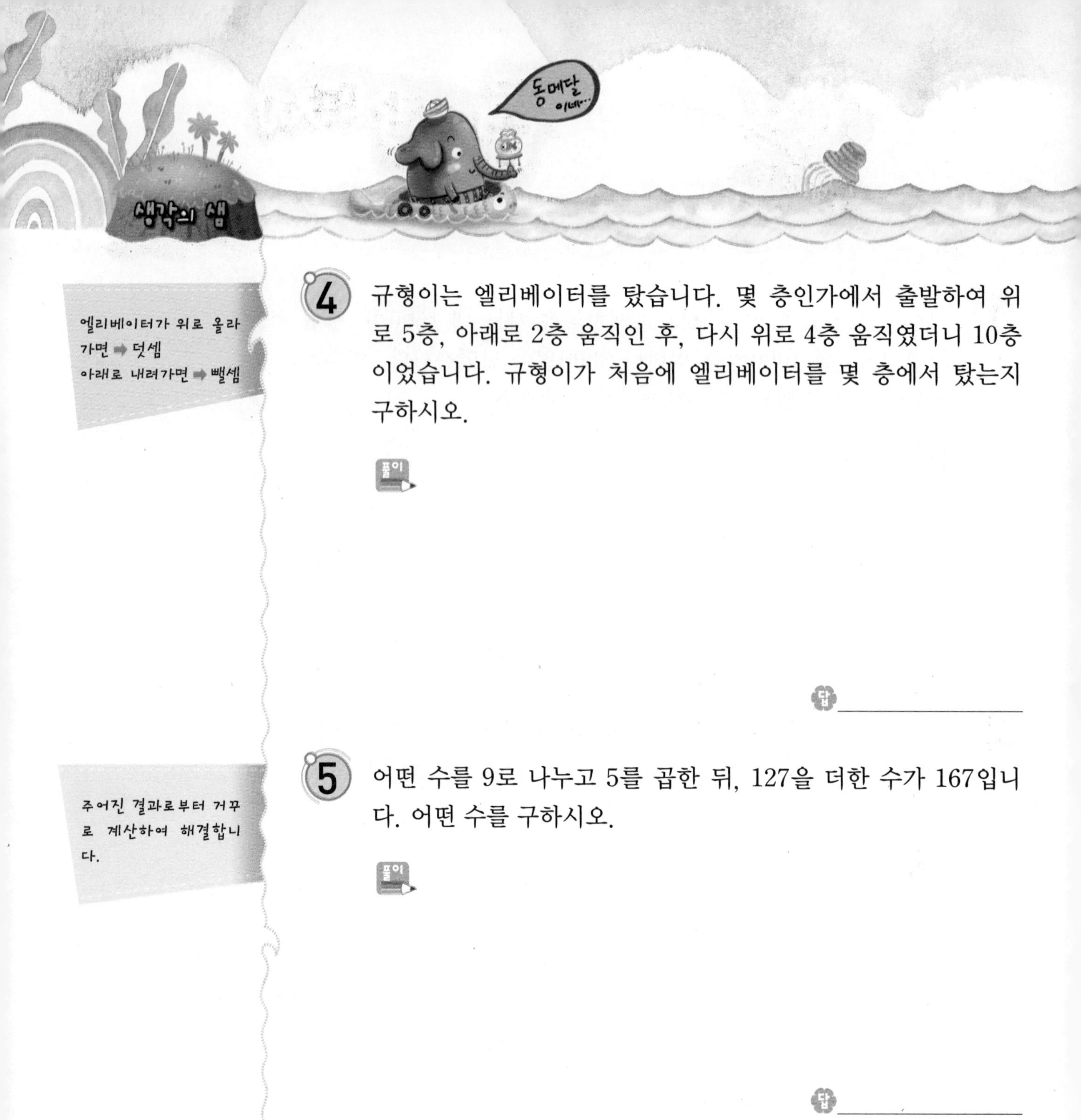

엘리베이터가 위로 올라가면 ➡ 덧셈
아래로 내려가면 ➡ 뺄셈

4 규형이는 엘리베이터를 탔습니다. 몇 층인가에서 출발하여 위로 5층, 아래로 2층 움직인 후, 다시 위로 4층 움직였더니 10층이었습니다. 규형이가 처음에 엘리베이터를 몇 층에서 탔는지 구하시오.

풀이

답 ____________

주어진 결과로부터 거꾸로 계산하여 해결합니다.

5 어떤 수를 9로 나누고 5를 곱한 뒤, 127을 더한 수가 167입니다. 어떤 수를 구하시오.

풀이

답 ____________

6 어떤 수에서 24를 뺀 뒤, 15를 곱하여 5로 나눈 수가 183입니다. 어떤 수에서 60을 뺀 수는 얼마인지 구하시오.

풀이

답 ____________

1 영수는 공책에 선분을 그은 다음 0.7cm를 지우고, 다시 2.7cm의 선분을 처음에 그은 선분과 겹치지 않게 이어서 그었더니 선분의 길이가 5cm가 되었습니다. 영수가 처음에 공책에 그은 선분은 몇 cm인지 구하시오.

> 소수의 계산 방법
> ① 소수점의 자리를 맞추어 씁니다.
> ② 자연수의 계산과 같은 방법으로 계산합니다.
> ③ 소수점을 그대로 내려서 찍습니다.

풀이

답 ______________

2 어떤 수에서 58을 뺀 후 다시 125를 빼야 할 것을 잘못하여 58을 뺀 후 125를 더하였더니 275가 되었습니다. 바르게 계산한 답을 구하시오.

> (바르게 계산한 답)
> =(어떤 수)-58-125

풀이

답 ______________

3 어떤 수에서 28을 뺀 후 11을 곱해야 할 것을 잘못하여 28을 더한 후 11을 곱하였더니 858이 되었습니다. 바르게 계산한 답을 구하시오.

> (바르게 계산한 답)
> ={(어떤 수)-28}×11

풀이

답 ______________

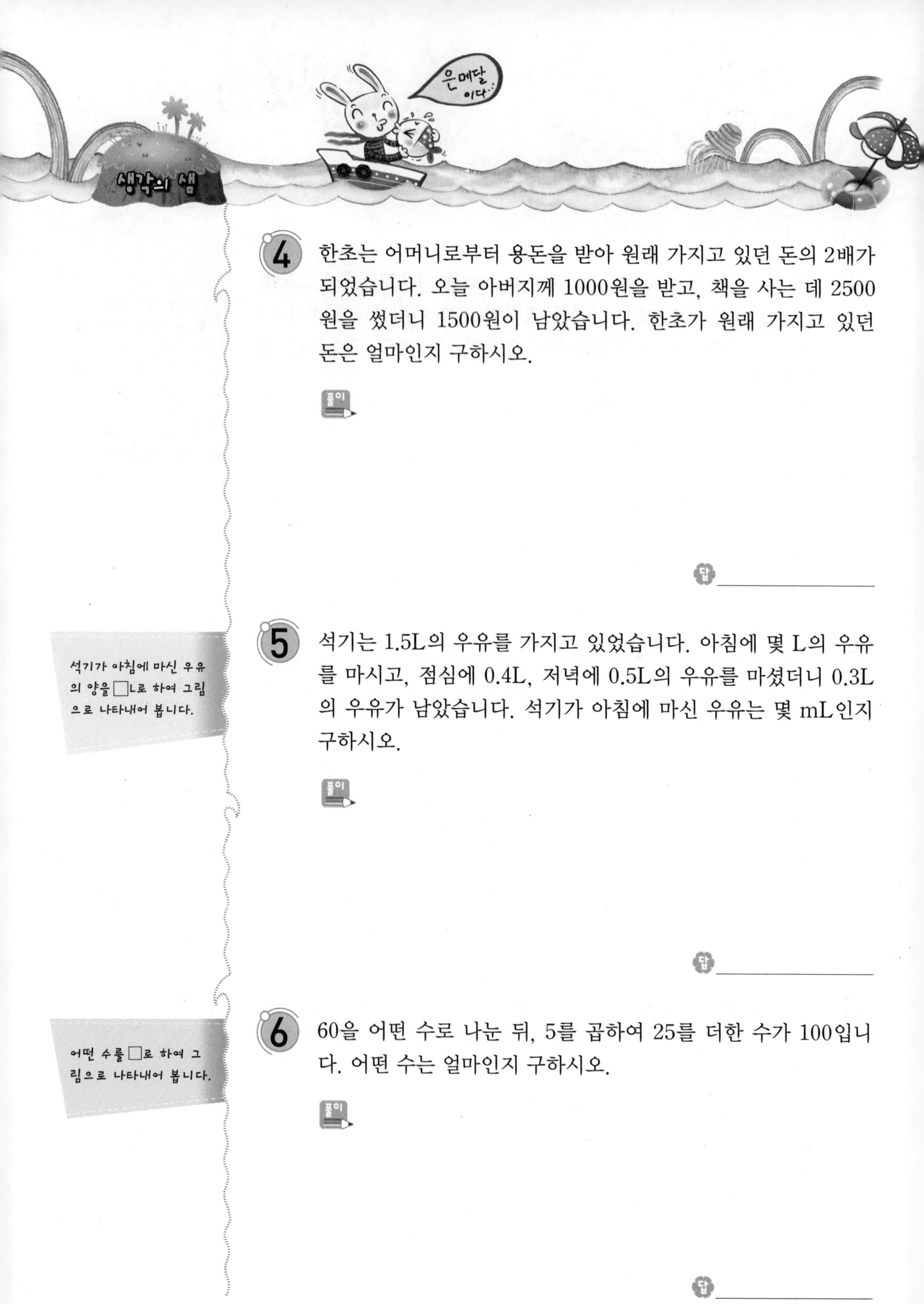

4 한초는 어머니로부터 용돈을 받아 원래 가지고 있던 돈의 2배가 되었습니다. 오늘 아버지께 1000원을 받고, 책을 사는 데 2500원을 썼더니 1500원이 남았습니다. 한초가 원래 가지고 있던 돈은 얼마인지 구하시오.

풀이

답 ____________

석기가 아침에 마신 우유의 양을 □L로 하여 그림으로 나타내어 봅니다.

5 석기는 1.5L의 우유를 가지고 있었습니다. 아침에 몇 L의 우유를 마시고, 점심에 0.4L, 저녁에 0.5L의 우유를 마셨더니 0.3L의 우유가 남았습니다. 석기가 아침에 마신 우유는 몇 mL인지 구하시오.

풀이

답 ____________

어떤 수를 □로 하여 그림으로 나타내어 봅니다.

6 60을 어떤 수로 나눈 뒤, 5를 곱하여 25를 더한 수가 100입니다. 어떤 수는 얼마인지 구하시오.

풀이

답 ____________

1 가영이는 4일 전부터 돼지 저금통에 돈을 모으기 시작했습니다. 모은 금액은 매일 전날의 2배로 늘어나서 오늘 1600원이 되었다고 합니다. 가영이가 4일 전 저금통에 처음 넣은 돈은 얼마인지 구하시오.

> 2배씩 4번 늘어난 금액이 1600원입니다.

답 ______________

2 지혜는 가지고 있던 돈의 $\frac{2}{3}$를 저축하고, 그 나머지의 반으로 학용품을 샀더니 500원이 남았습니다. 지혜가 처음에 가지고 있던 돈은 얼마인지 구하시오.

> 선분으로 나타내어 보고 거꾸로 계산하여 구하세요!

답 ______________

3 규형이는 가지고 있던 리본의 $\frac{4}{5}$를 사용하고, 남은 리본의 $\frac{1}{3}$을 영수에게 주었더니 6m가 남았습니다. 규형이가 처음에 가지고 있던 리본은 몇 m인지 구하시오.

> 영수에게 주기 전 리본의 길이
> ➡ $(6 \div 2 \times 3)$m

답 ______________

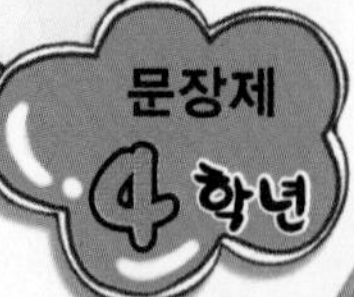

5 한쪽을 지워서 해결하기

탐구문제

공책 1권과 필통 2개는 4500원이고, 같은 공책 1권과 필통 5개는 10500원입니다. 필통 1개의 값을 구하시오.

풀이 공책 1권과 필통 2개는 공책 1권과 필통 5개와의 관계에서 공책의 수는 차이가 없으나 필통 수는 3개만큼의 차이가 납니다. 이 때문에 총 가격의 차이는 $10500-4500=6000$(원)이 되었습니다. 따라서, 필통 1개의 값은 $6000\div3=2000$(원)입니다.

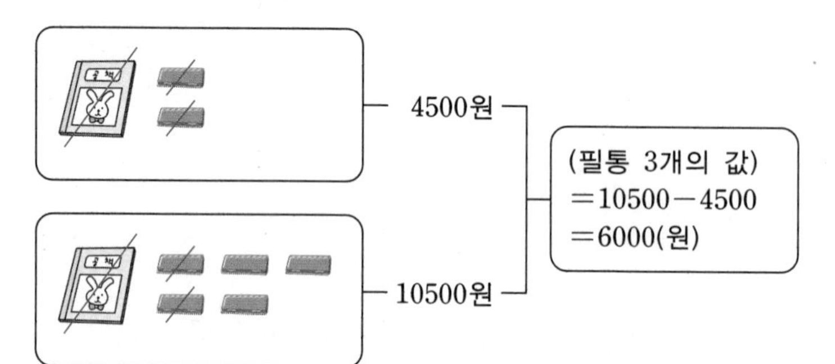

꼼꼼 돌다리

공책과 필통의 수를 각각 비교하여 어떤 차이가 있는지 알아봅니다.

Check Point

같은 부분끼리 서로 없앤 뒤, 나머지끼리의 차를 이용하여 해결합니다.

확인문제

귤 4개와 키위 5개의 값은 3200원이고, 같은 귤 4개와 키위 7개의 값은 4000원입니다. 키위 3개의 값을 구하시오.

1 귤 4개와 키위 5개는 귤 4개와 키위 7개와의 관계에서 어떤 차이가 있습니까?

( )

2 키위 1개의 값을 구하시오.

( )

(키위 1개의 값)
=(키위 ◆개의 값)
÷◆

3 키위 3개의 값을 구하시오.

( )

1 사과 3개와 배 4개의 값은 4700원이고, 같은 사과 3개와 배 3개의 값은 3900원입니다. 배 1개의 값을 구하시오.

> 같은 부분끼리 서로 없앤 뒤, 나머지끼리의 차를 이용하여 해결합니다.

풀이

답 ______________

2 감자 3kg과 고구마 2kg의 가격은 17000원이고, 같은 감자 4kg과 고구마 2kg의 가격은 20000원입니다. 감자 1kg의 가격은 얼마인지 구하시오.

답 ______________

3 모형배 11개의 무게와 모형비행기 13개의 무게의 합은 3.7kg이고, 무게가 같은 모형배 11개의 무게와 모형비행기 14개의 무게의 합은 3.9kg입니다. 모형비행기 2개의 무게의 합은 몇 kg인지 구하시오.

> 먼저 모형비행기 1개의 무게를 구합니다.

답 ______________

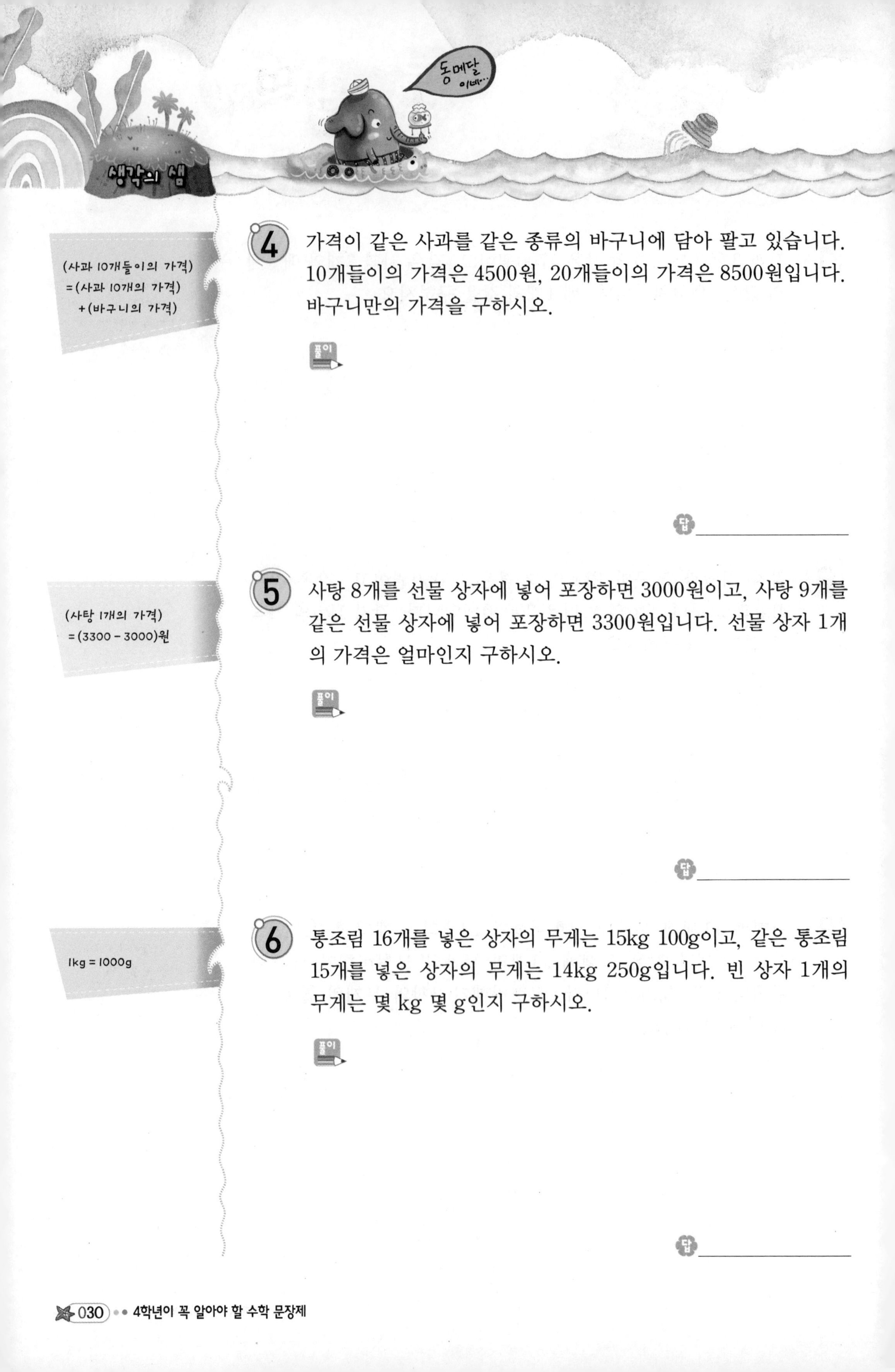

(사과 10개들이의 가격)
=(사과 10개의 가격)
+(바구니의 가격)

4 가격이 같은 사과를 같은 종류의 바구니에 담아 팔고 있습니다. 10개들이의 가격은 4500원, 20개들이의 가격은 8500원입니다. 바구니만의 가격을 구하시오.

풀이

답 ____________

(사탕 1개의 가격)
=(3300 − 3000)원

5 사탕 8개를 선물 상자에 넣어 포장하면 3000원이고, 사탕 9개를 같은 선물 상자에 넣어 포장하면 3300원입니다. 선물 상자 1개의 가격은 얼마인지 구하시오.

풀이

답 ____________

1kg = 1000g

6 통조림 16개를 넣은 상자의 무게는 15kg 100g이고, 같은 통조림 15개를 넣은 상자의 무게는 14kg 250g입니다. 빈 상자 1개의 무게는 몇 kg 몇 g인지 구하시오.

풀이

답 ____________

1 공책 10권과 책 2권의 두께의 합은 9cm이고, 같은 공책 5권과 책 2권의 두께의 합은 6.5cm입니다. 공책 10권의 두께의 합은 몇 cm인지 구하시오.

공책 5권만큼의 차이가 납니다.

풀이

답 ____________

2 연필 5자루와 스케치북 3권을 사면 4500원을 내야 하고, 같은 연필 1자루와 스케치북 3권을 사면 3300원을 내야 합니다. 연필 1자루와 스케치북 1권의 값은 각각 얼마인지 구하시오.

연필 1자루의 값을 먼저 구한 뒤, 스케치북 1권의 값을 구해 봅니다.

풀이

답 ____________

3 음악 공책 5권과 영어 공책 3권의 값은 3750원이고, 같은 음악 공책 3권과 영어 공책 3권의 값은 2850원입니다. 음악 공책과 영어 공책 한 권씩의 값을 각각 구하시오.

음악 공책 1권의 값을 먼저 구한 뒤, 영어 공책 1권의 값을 구해 봅니다.

풀이

답 ____________

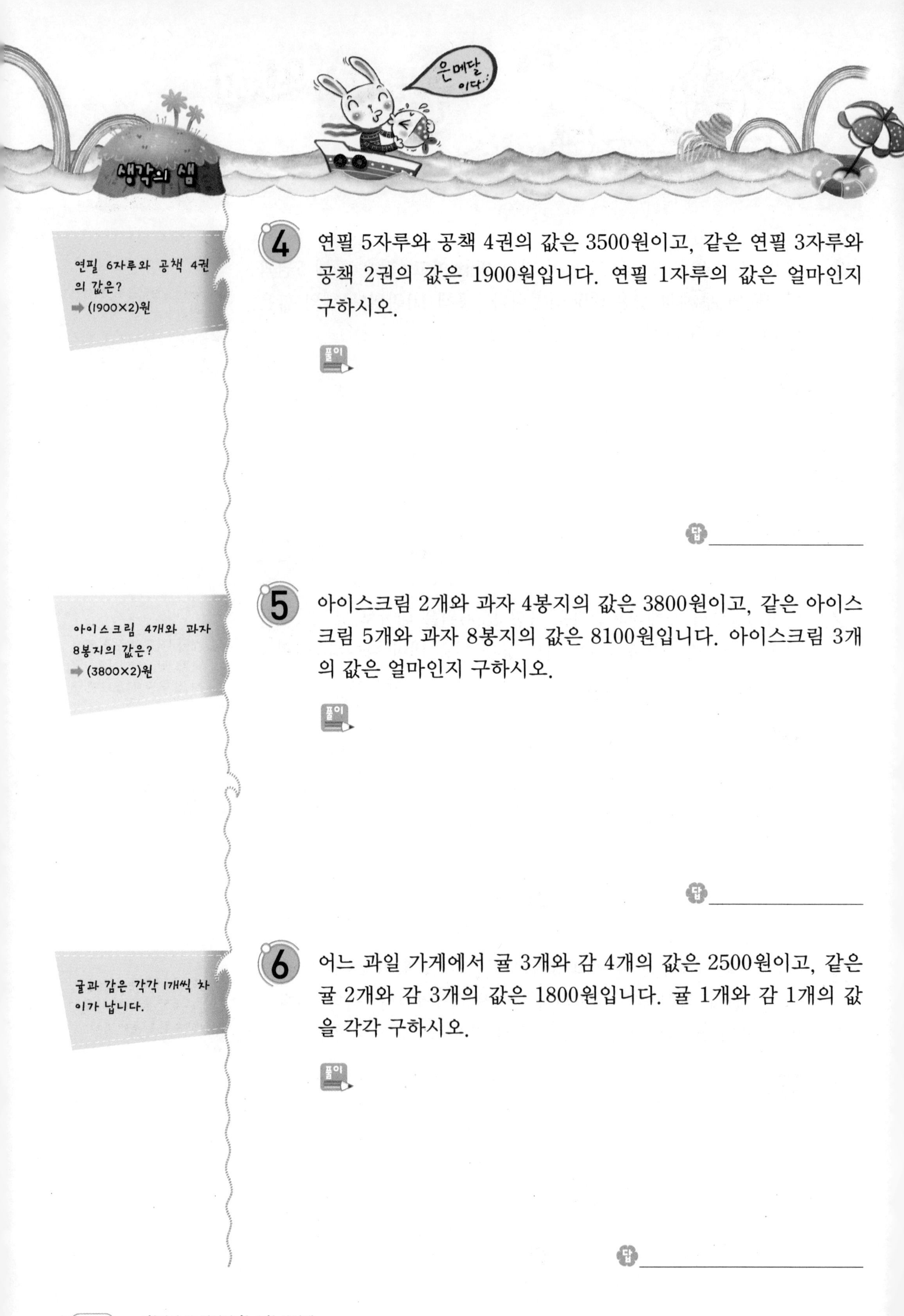

연필 6자루와 공책 4권의 값은?
➡ (1900×2)원

4 연필 5자루와 공책 4권의 값은 3500원이고, 같은 연필 3자루와 공책 2권의 값은 1900원입니다. 연필 1자루의 값은 얼마인지 구하시오.

풀이

답 ______

아이스크림 4개와 과자 8봉지의 값은?
➡ (3800×2)원

5 아이스크림 2개와 과자 4봉지의 값은 3800원이고, 같은 아이스크림 5개와 과자 8봉지의 값은 8100원입니다. 아이스크림 3개의 값은 얼마인지 구하시오.

풀이

답 ______

귤과 감은 각각 1개씩 차이가 납니다.

6 어느 과일 가게에서 귤 3개와 감 4개의 값은 2500원이고, 같은 귤 2개와 감 3개의 값은 1800원입니다. 귤 1개와 감 1개의 값을 각각 구하시오.

풀이

답 ______

1 샤프 7개와 샤프심 5통의 가격은 4500원이고, 같은 샤프 4개와 샤프심 5통의 가격은 3000원입니다. 샤프심 8통의 가격은 얼마인지 구하시오.

(물건 ●개의 가격)
=(물건 1개의 가격)×●

풀이

답 ______________

2 삼각형 8개와 사각형 9개의 변의 길이의 합은 2m 16cm이고, 똑같은 삼각형 7개와 사각형 6개의 변의 길이의 합은 1m 59cm입니다. 삼각형 1개와 사각형 1개의 변의 길이의 합은 각각 몇 cm인지 구하시오.

(삼각형 1개와 사각형 3개의 변의 길이의 합)
=(216 − 159)cm

풀이

답 ______________

3 용수철 저울에 24g의 추를 달았더니 길이가 18cm가 되었습니다. 이 용수철 저울에 96g의 추를 달았더니 길이가 36cm가 되었다면, 추를 달지 않았을 때 용수철 저울의 원래 길이는 몇 cm인지 구하시오.

(96 − 24)g의 추를 달았을 때, 늘어난 길이는 (36 − 18)cm입니다.

풀이

답 ______________

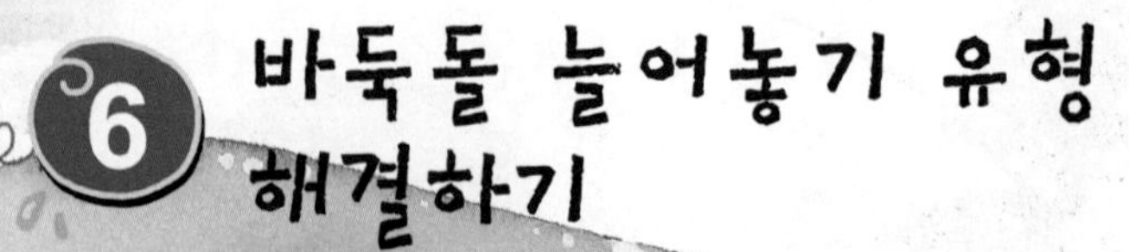

6 바둑돌 늘어놓기 유형 해결하기

바둑돌을 가로와 세로에 각각 7개씩 빈틈없이 늘어놓아 정사각형을 만들었습니다. 둘레에 놓인 바둑돌의 개수는 몇 개인지 구하시오.

풀이 오른쪽 그림과 같이 둘레에 놓인 바둑돌을 4등분 하여 생각합니다.
따라서, 둘레에 놓인 바둑돌의 개수는 $(7-1)\times 4=24$(개)입니다.

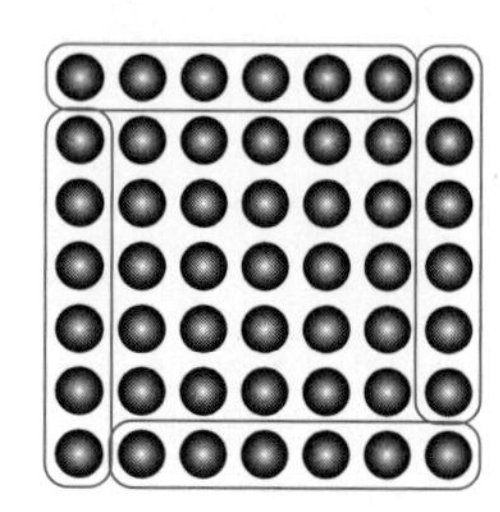

꼼꼼 돌다리
한 묶음 안에 들어 있는 바둑돌의 개수는 한 변에 놓인 바둑돌의 개수보다 1개 적어요.
➡ 7－1＝6(개)

Check Point

- 정사각형으로 늘어놓을 때
  (둘레의 개수)＝{(한 변의 개수)－1}×4
  (한 변의 개수)＝{(둘레의 개수)÷4}＋1
- 직사각형으로 늘어놓을 때
  (둘레의 개수)
  ＝{(가로의 개수)＋(세로의 개수)－2}×2

확인 문제

크기가 같은 사탕을 가로와 세로에 각각 8개씩 빈틈없이 늘어놓아 정사각형을 만들었습니다. 둘레에 놓인 사탕의 개수를 구하시오.

1 한 변에 놓인 사탕은 몇 개입니까?

( )

2 둘레에 놓인 사탕을 똑같이 4등분 하여 생각할 때, 한 묶음에는 몇 개의 사탕이 있는지 구하시오.

( )

한 묶음에 똑같은 개수의 사탕이 들어 있도록 묶어 보세요.

3 둘레에 놓인 사탕의 개수를 구하시오.

( )

1 구슬을 가로와 세로에 각각 10개씩 빈틈없이 늘어놓아 정사각형을 만들었습니다. 둘레에 놓인 구슬은 몇 개인지 구하시오.

> (정사각형의 둘레에 놓인 구슬의 개수)
> ={(한 변에 놓인 구슬의 개수)-1}×4

풀이

답 ____________

2 정사각형 모양의 카드를 가로와 세로에 각각 20장씩 빈틈없이 늘어놓아 큰 정사각형을 만들었습니다. 둘레에 놓인 카드는 몇 장인지 구하시오.

> 둘레에 놓인 카드를 똑같은 장수씩 4묶음으로 묶어 봅니다.

풀이

답 ____________

3 10원짜리 동전을 빈틈없이 늘어놓아 정사각형을 만들었습니다. 둘레에 놓인 동전이 100개일 때, 가장 바깥쪽의 한 변에 놓인 동전은 몇 개인지 구하시오.

> (한 변에 놓인 동전의 개수)
> =(둘레에 놓인 동전의 개수)÷4+1

풀이

답 ____________

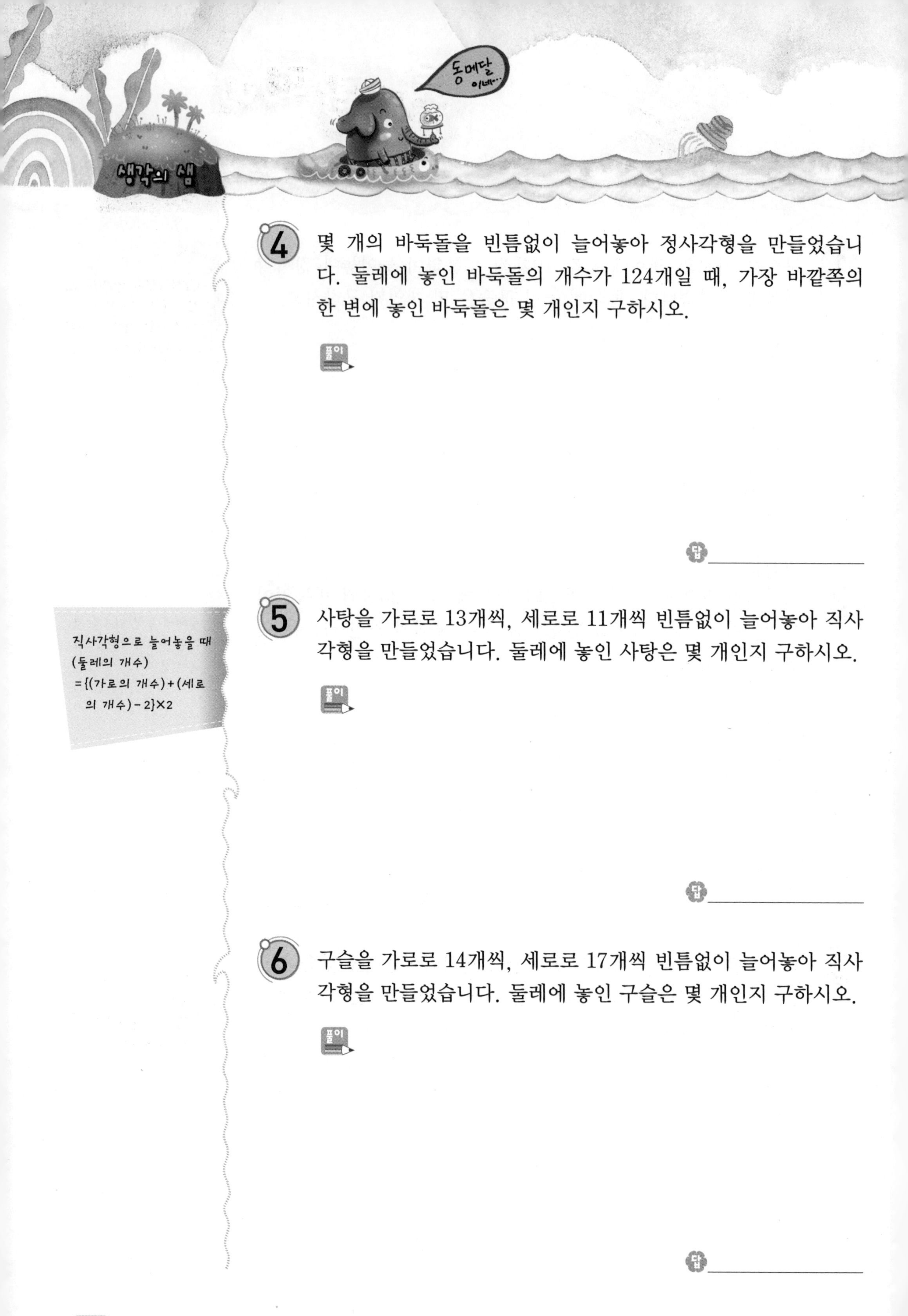

4 몇 개의 바둑돌을 빈틈없이 늘어놓아 정사각형을 만들었습니다. 둘레에 놓인 바둑돌의 개수가 124개일 때, 가장 바깥쪽의 한 변에 놓인 바둑돌은 몇 개인지 구하시오.

풀이

답 ____________

직사각형으로 늘어놓을 때
(둘레의 개수)
={(가로의 개수)+(세로의 개수)−2}×2

5 사탕을 가로로 13개씩, 세로로 11개씩 빈틈없이 늘어놓아 직사각형을 만들었습니다. 둘레에 놓인 사탕은 몇 개인지 구하시오.

풀이

답 ____________

6 구슬을 가로로 14개씩, 세로로 17개씩 빈틈없이 늘어놓아 직사각형을 만들었습니다. 둘레에 놓인 구슬은 몇 개인지 구하시오.

풀이

답 ____________

1 몇 개의 구슬을 빈틈없이 늘어놓아 정사각형을 만들었습니다. 둘레에 놓인 구슬의 개수가 108개일 때, 구슬은 모두 몇 개인지 구하시오.

풀이

답 ____________

2 몇 개의 바둑돌을 빈틈없이 늘어놓아 정사각형을 만들었습니다. 전체 바둑돌의 개수가 400개일 때, 정사각형의 둘레에 놓인 바둑돌의 개수를 구하시오.

> 같은 수끼리 곱해서 400이 되는 수를 구하여 한 변에 놓인 바둑돌의 개수를 알아봅니다.

풀이

답 ____________

3 100원짜리 동전을 빈틈없이 늘어놓아 정사각형을 만들었습니다. 둘레에 놓인 동전의 금액의 합이 5200원일 때, 동전 전체는 몇 개인지 구하시오.

> 둘레에 놓인 동전의 개수는 $(5200 \div 100)$개입니다.

풀이

답 ____________

한 번 더 에워싸면 한 변에 놓이는 동전의 개수는?
➡ (15 + 2)개

4 500원짜리 동전을 가로와 세로에 각각 15개씩 빈틈없이 늘어놓아 정사각형을 만들었습니다. 이 정사각형의 둘레에 500원짜리 동전을 놓아 한 번 더 에워싸도록 만들 때, 돈은 얼마가 더 필요한지 구하시오.

풀이

답 ________________

파란색 구슬은 한 변에 몇 개씩 놓인 정사각형이 되는지 생각해 봅니다.

5 크기가 같은 구슬을 가로와 세로에 각각 25개씩 빈틈없이 늘어놓아 정사각형을 만들었습니다. 둘레에는 초록색 구슬을 놓고, 안쪽에는 파란색 구슬을 놓았을 때, 파란색 구슬은 몇 개인지 구하시오.

답 ________________

늘어놓은 흰색 타일의 한 변의 장수는?
➡ (19 − 2)장

6 정사각형 모양의 타일을 가로와 세로에 각각 19장씩 빈틈없이 늘어놓아 큰 정사각형을 만들었습니다. 둘레에 놓인 타일의 색깔은 노란색이고, 안쪽에 놓인 타일의 색깔은 흰색일 때, 흰색 타일은 노란색 타일보다 몇 장 더 많은지 구하시오.

답 ________________

1 동그란 모양의 딱지를 빈틈없이 늘어놓아 직사각형을 만들었습니다. 전체 딱지의 수는 104장이고, 가로에 놓인 딱지가 세로에 놓인 딱지보다 5장 많을 때, 직사각형의 둘레에 놓인 딱지의 수를 구하시오.

(전체 딱지의 수) =(가로에 놓인 딱지의 수)×(세로에 놓인 딱지의 수)

답 ____________

2 370개의 바둑돌을 몇 개의 상자에 25개씩 담을 수 있을 때까지 담은 후, 상자에 담긴 바둑돌을 다시 모아 몇 개의 바구니에 27개씩 담을 수 있을 때까지 담았습니다. 바구니 안에 담긴 바둑돌을 모아 빈틈없이 늘어놓아 정사각형을 만들었을 때, 둘레에 놓인 바둑돌은 몇 개인지 구하시오.

$16 \times 16 = 256$
$17 \times 17 = 289$
$18 \times 18 = 324$
$19 \times 19 = 361$

답 ____________

3 정사각형 모양의 스티커가 몇 장 있습니다. 이 스티커를 빈틈없이 늘어놓아 큰 정사각형을 만들고 나니 24장이 남아서 가로 한 변과 세로 한 변을 각각 한 줄씩 늘렸더니 또 3장이 남았습니다. 스티커는 모두 몇 장인지 구하시오.

가로 한 변과 세로 한 변을 각각 한 줄씩 늘리는 데 필요한 스티커는 $(24-3)$장입니다.

답 ____________

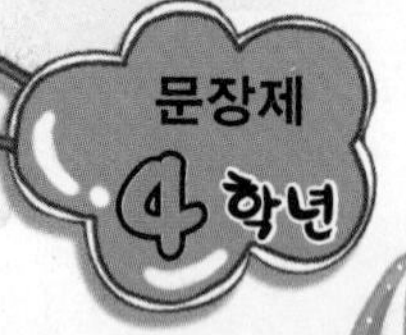

7 나무심기 유형 해결하기

탐구 문제

길이가 640m인 도로에 32m 간격으로 나무를 심으려고 합니다. 도로의 처음과 끝에도 나무를 심는다고 할 때, 물음에 답하시오.

(1) 도로의 한쪽에만 심는다면 나무는 몇 그루가 필요한지 구하시오.

(2) 도로의 양쪽에 모두 심는다면 나무는 몇 그루가 필요한지 구하시오.

풀이 (1) 나무와 나무 사이의 간격의 수는 $640 \div 32 = 20$(개)이므로 필요한 나무의 수는 $20 + 1 = 21$(그루)입니다.

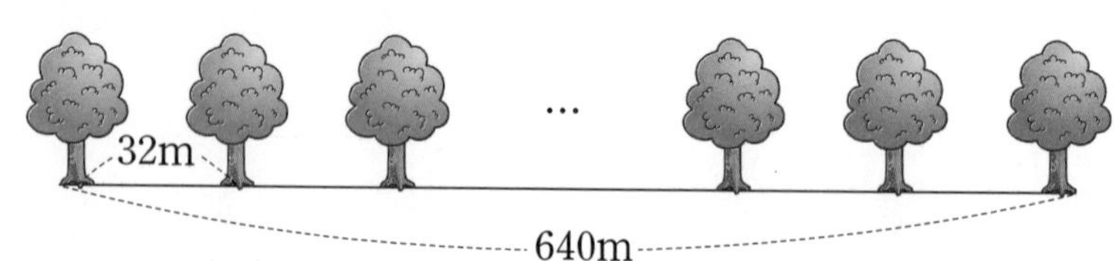

꼼꼼 돋다리

(간격의 수)
=(전체 길이)
÷(간격의 길이)

(2) 도로의 양쪽에 필요한 나무의 수는 $21 \times 2 = 42$(그루)입니다.

Check Point

- 처음과 끝에 나무를 심을 때 : (나무의 수)=(간격의 수)+1
- 처음과 끝에 나무를 심지 않을 때 : (나무의 수)=(간격의 수)−1
- 둥근 연못 등에 나무를 심을 때 : (나무의 수)=(간격의 수)

확인 문제

길이가 720m인 도로의 양쪽에 45m 간격으로 가로수를 심으려고 합니다. 가로수는 모두 몇 그루를 심게 되는지 구하시오. (단, 도로의 처음과 끝에도 가로수를 심습니다.)

1 간격은 몇 개인지 구하시오.

( )

2 도로 한쪽에 가로수는 몇 그루를 심게 되는지 구하시오.

( )

3 도로 양쪽에 가로수는 몇 그루를 심게 되는지 구하시오.

( )

양쪽에 심는 가로수의 수는 한쪽에 심는 가로수의 수를 2배 하여 구할 수 있어요.

생각의 샘

1. 길이가 740m인 도로의 한쪽에 37m 간격으로 나무를 심으려고 합니다. 나무는 모두 몇 그루 필요한지 구하시오. (단, 도로의 처음과 끝에도 반드시 나무를 심습니다.)

도로의 한쪽에 심는 나무의 수는 간격의 수보다 1개 더 많습니다.

풀이

답 ______________

2. 길이가 960m 되는 길의 양쪽에 40m 간격으로 소나무를 심으려고 합니다. 길의 처음과 끝에도 소나무를 심는다고 할 때, 소나무는 몇 그루가 필요한지 구하시오.

(길의 양쪽에 필요한 소나무의 수)
=(길의 한쪽에 필요한 소나무의 수)×2

풀이

답 ______________

3. 길이가 900m인 다리의 한쪽에 처음부터 36m 간격으로 가로등을 세우려고 합니다. 다리의 처음과 끝에는 가로등을 세우지 않는다면, 가로등은 몇 개를 세우게 되는지 구하시오.

다리의 처음과 끝에 가로등을 세우지 않으면 가로등은 간격의 수보다 1개 더 적습니다.

풀이

답 ______________

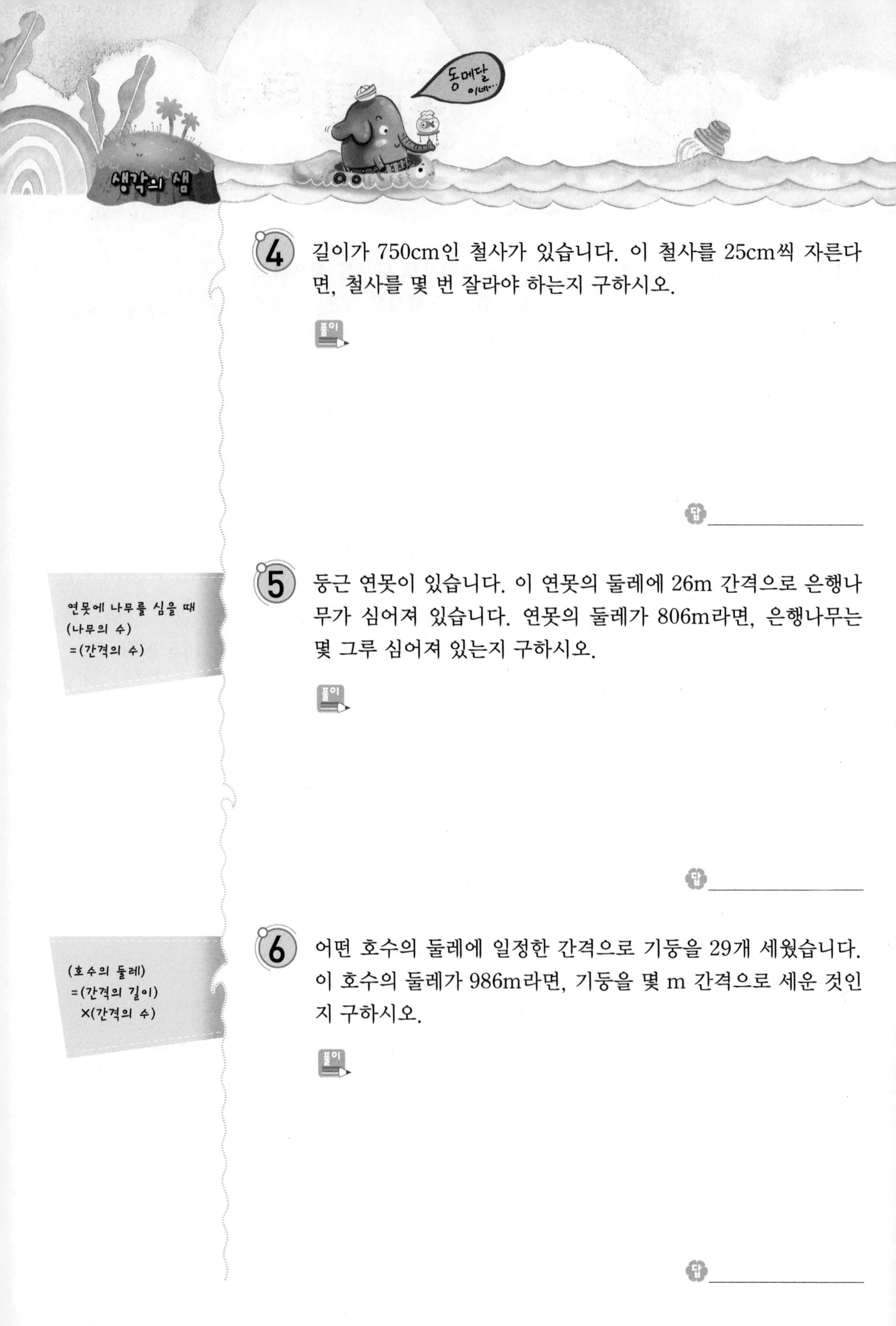

4 길이가 750cm인 철사가 있습니다. 이 철사를 25cm씩 자른다면, 철사를 몇 번 잘라야 하는지 구하시오.

풀이

답 ____________

연못에 나무를 심을 때
(나무의 수)
=(간격의 수)

5 둥근 연못이 있습니다. 이 연못의 둘레에 26m 간격으로 은행나무가 심어져 있습니다. 연못의 둘레가 806m라면, 은행나무는 몇 그루 심어져 있는지 구하시오.

풀이

답 ____________

(호수의 둘레)
=(간격의 길이)
×(간격의 수)

6 어떤 호수의 둘레에 일정한 간격으로 기둥을 29개 세웠습니다. 이 호수의 둘레가 986m라면, 기둥을 몇 m 간격으로 세운 것인지 구하시오.

풀이

답 ____________

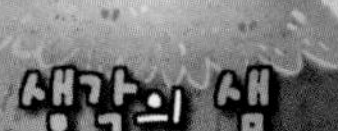

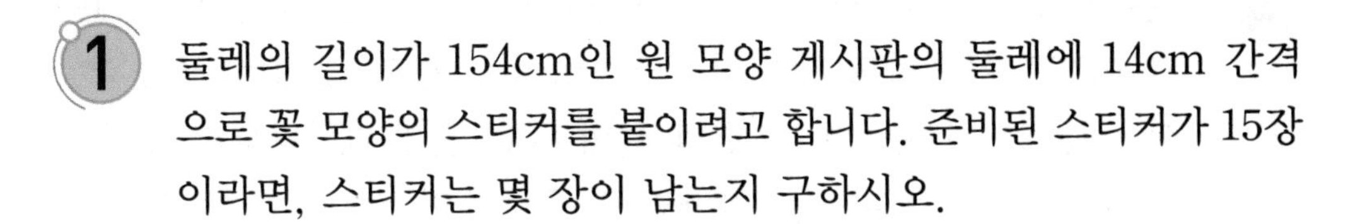

1 둘레의 길이가 154cm인 원 모양 게시판의 둘레에 14cm 간격으로 꽃 모양의 스티커를 붙이려고 합니다. 준비된 스티커가 15장이라면, 스티커는 몇 장이 남는지 구하시오.

풀이

답 ________________

2 어느 도로의 양쪽에 가로수가 42m 간격으로 심어져 있습니다. 도로의 양쪽에 있는 가로수는 모두 114그루이고, 도로의 처음과 끝에도 가로수가 심어져 있을 때, 이 도로의 길이는 몇 m인지 구하시오.

> 도로 한쪽에 있는 가로수는 (114÷2)그루입니다.

풀이

답 ________________

3 다음과 같은 벽면에 같은 크기의 액자 6개를 걸려고 합니다. 벽과 액자 사이, 액자와 액자 사이의 거리가 모두 같다면, 액자 하나의 가로의 길이는 몇 cm인지 구하시오.

> 액자가 1개 ➡ 간격 2개
> 액자 2개 ➡ 간격 3개
> ⋮
> 액자 ★개
> ➡ 간격 (★+1)개

6.4m

0.4m

풀이

답 ________________

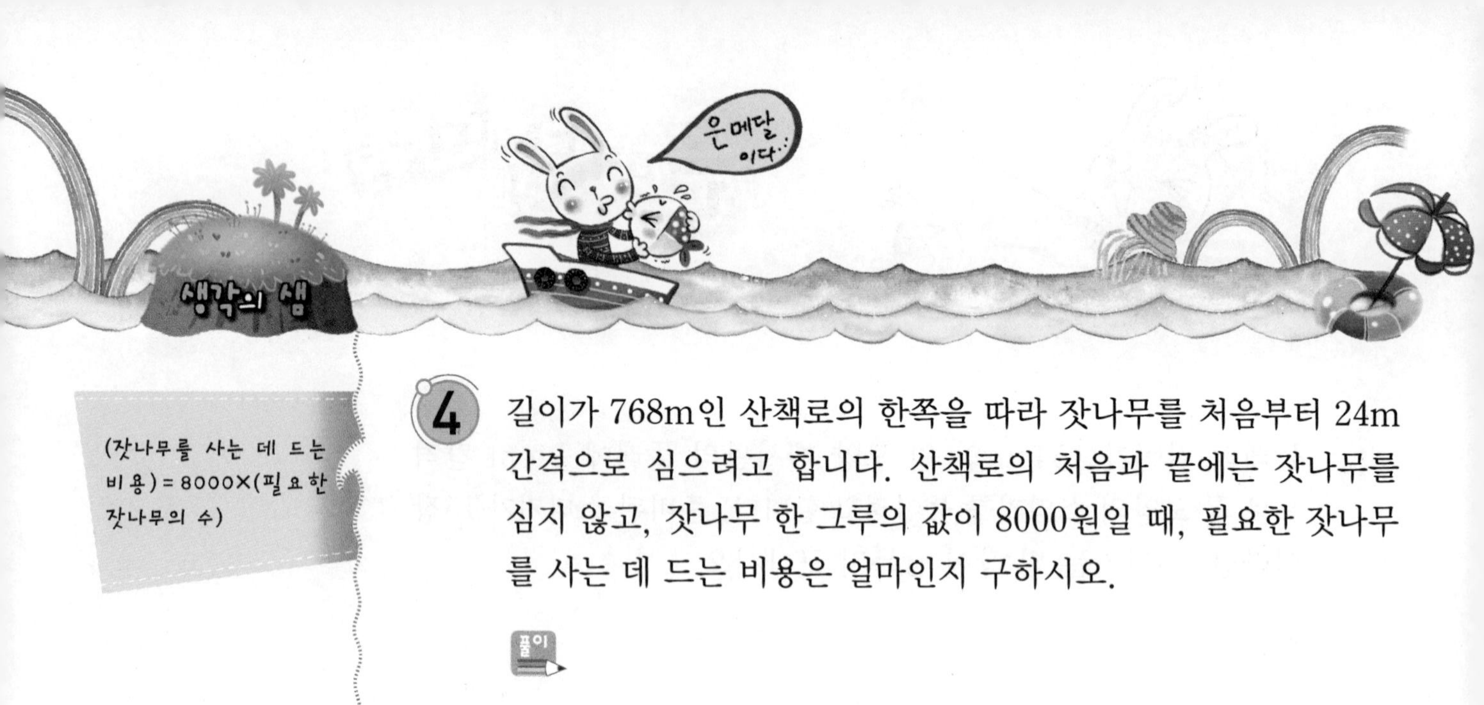

(잣나무를 사는 데 드는 비용) = 8000×(필요한 잣나무의 수)

4 길이가 768m인 산책로의 한쪽을 따라 잣나무를 처음부터 24m 간격으로 심으려고 합니다. 산책로의 처음과 끝에는 잣나무를 심지 않고, 잣나무 한 그루의 값이 8000원일 때, 필요한 잣나무를 사는 데 드는 비용은 얼마인지 구하시오.

풀이

답 ______________

(직사각형의 둘레) = (가로) + (세로) + (가로) + (세로)

5 가로의 길이가 56m이고, 세로의 길이가 72m인 직사각형 모양의 땅 둘레에 꽃나무를 심으려고 합니다. 네 모퉁이에는 반드시 꽃나무를 심기로 하고 8m 간격으로 심는다면, 꽃나무는 몇 그루 필요한지 구하시오.

풀이

답 ______________

(밤나무의 수) = 3×(소나무를 심은 간격의 수)

6 길이가 504m인 길의 한쪽에 28m 간격으로 소나무를 심고, 소나무와 소나무 사이에 밤나무를 3그루씩 심으려고 합니다. 소나무와 밤나무는 모두 몇 그루가 필요한지 구하시오. (단, 길의 처음과 끝에도 소나무를 심습니다.)

풀이

답 ______________

1 서로 533m 떨어져 있는 두 버스정류장 사이에 가로수가 같은 간격으로 32그루 심어져 있습니다. 버스정류장과 가로수 사이의 간격이 각각 3m씩일 때, 가로수와 가로수 사이의 간격은 몇 m인지 구하시오.

처음 가로수와 마지막 가로수 사이의 거리는?
➡ (533 − 3×2)m

답 ____________

2 도로의 한쪽에 59그루의 나무가 45m 간격으로 심어져 있습니다. 양끝의 나무는 그대로 두고 사이에 있는 나무를 30m 간격으로 옮겨 심으려고 합니다. 몇 그루의 나무가 더 필요한지 구하시오.

양끝의 나무 사이의 거리를 알아봅니다.

답 ____________

3 가로가 8cm, 세로가 5cm인 직사각형 모양의 종이 테이프를 가로로 15장씩, 세로로 12장씩 붙여 직사각형을 만들었습니다. 종이 테이프를 붙일 때 겹친 부분의 길이가 2cm라면, 만들어진 직사각형의 둘레의 길이는 몇 cm인지 구하시오.

종이 테이프를 2장 붙이면 겹쳐지는 부분은 1군데입니다.

답 ____________

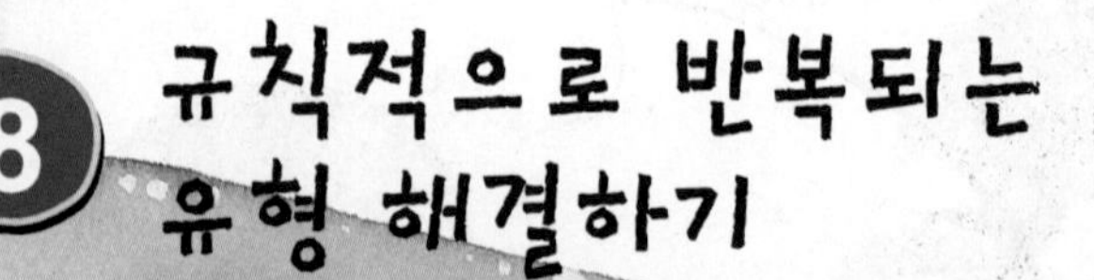

8 규칙적으로 반복되는 유형 해결하기

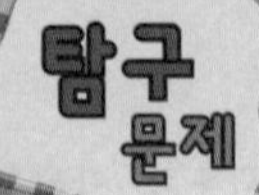

탐구 문제

바둑돌 348개를 다음과 같이 규칙적으로 늘어놓았습니다. 물음에 답하시오.

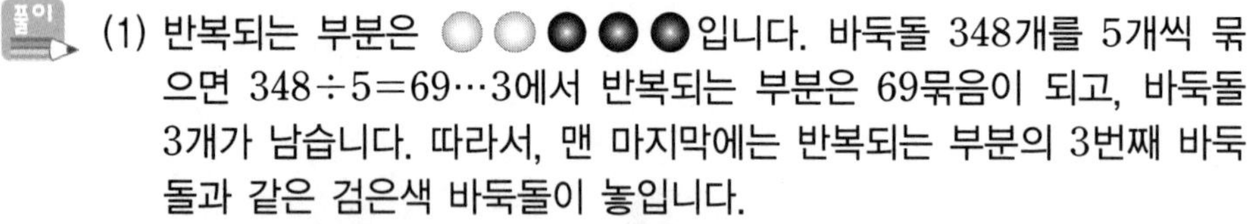

(1) 맨 마지막에 놓이는 바둑돌은 무슨 색인지 구하시오.

(2) 검은색 바둑돌은 모두 몇 개인지 구하시오.

풀이

(1) 반복되는 부분은 ○○●●●입니다. 바둑돌 348개를 5개씩 묶으면 $348 \div 5 = 69 \cdots 3$에서 반복되는 부분은 69묶음이 되고, 바둑돌 3개가 남습니다. 따라서, 맨 마지막에는 반복되는 부분의 3번째 바둑돌과 같은 검은색 바둑돌이 놓입니다.

(2) 반복되는 부분 안에 검은색 바둑돌이 3개 들어 있습니다.
따라서, 검은색 바둑돌은 모두 $3 \times 69 + 1 = 208$(개)입니다.

꼼꼼 돌다리

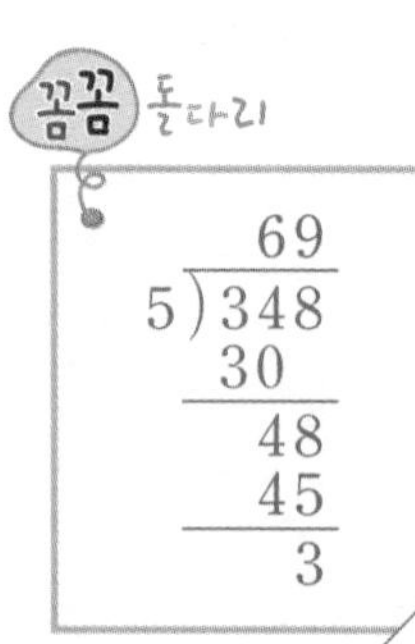

Check Point

전체를 반복되는 부분의 개수로 나누어 몫과 나머지를 구하여 해결합니다.

확인 문제

359개의 도형을 규칙적으로 늘어놓았습니다. 이 중 ●는 모두 몇 개인지 구하시오.

●■●▲▲■▲●■●▲▲■▲●■● …

1 반복되는 부분을 찾아 ⬭로 묶어 보시오.

2 반복되는 부분은 몇 묶음이 되고, 나머지는 몇 개인지 구하시오.

(　　　　　　　　　　)

3 ●는 모두 몇 개 있는지 구하시오.

(　　　　　　　　　　)

전체 도형의 개수를 반복되는 부분의 개수로 나누어 보세요.

생각의 샘

1 바둑돌을 다음과 같이 규칙적으로 늘어놓았습니다. 202개를 늘어놓았을 때, 마지막에 놓이는 바둑돌은 무슨 색인지 구하시오.

● ○ ● ○ ● ● ● ○ ● ○ ● ● ● ○ ● ○ …

(전체 바둑돌의 개수)÷(반복되는 부분의 개수)의 계산을 해 봅니다.

답 ________________

2 다음과 같이 수를 규칙적으로 늘어놓았습니다. 411째 번에 올 수는 무엇인지 구하시오.

3, 3, 7, 5, 1, 8, 4, 3, 3, 7, 5, 1, 8, 4, 3, 3, 7, 5, 1, …

풀이

답 ________________

3 다음과 같이 도형을 규칙적으로 늘어놓았습니다. 300개를 늘어놓았을 때, ⊙는 모두 몇 개 있는지 구하시오.

◈ ⊙ ▣ ⊙ ▣ ⊙ ⊙ ▣ ◈ ⊙ ▣ ⊙ ▣ ⊙ ⊙ ▣ ◈ ⊙ ▣ ⊙ …

먼저 반복되는 부분을 찾아 한 묶음 안에 ⊙가 몇 개 들어 있는지 알아봅니다.

풀이

답 ________________

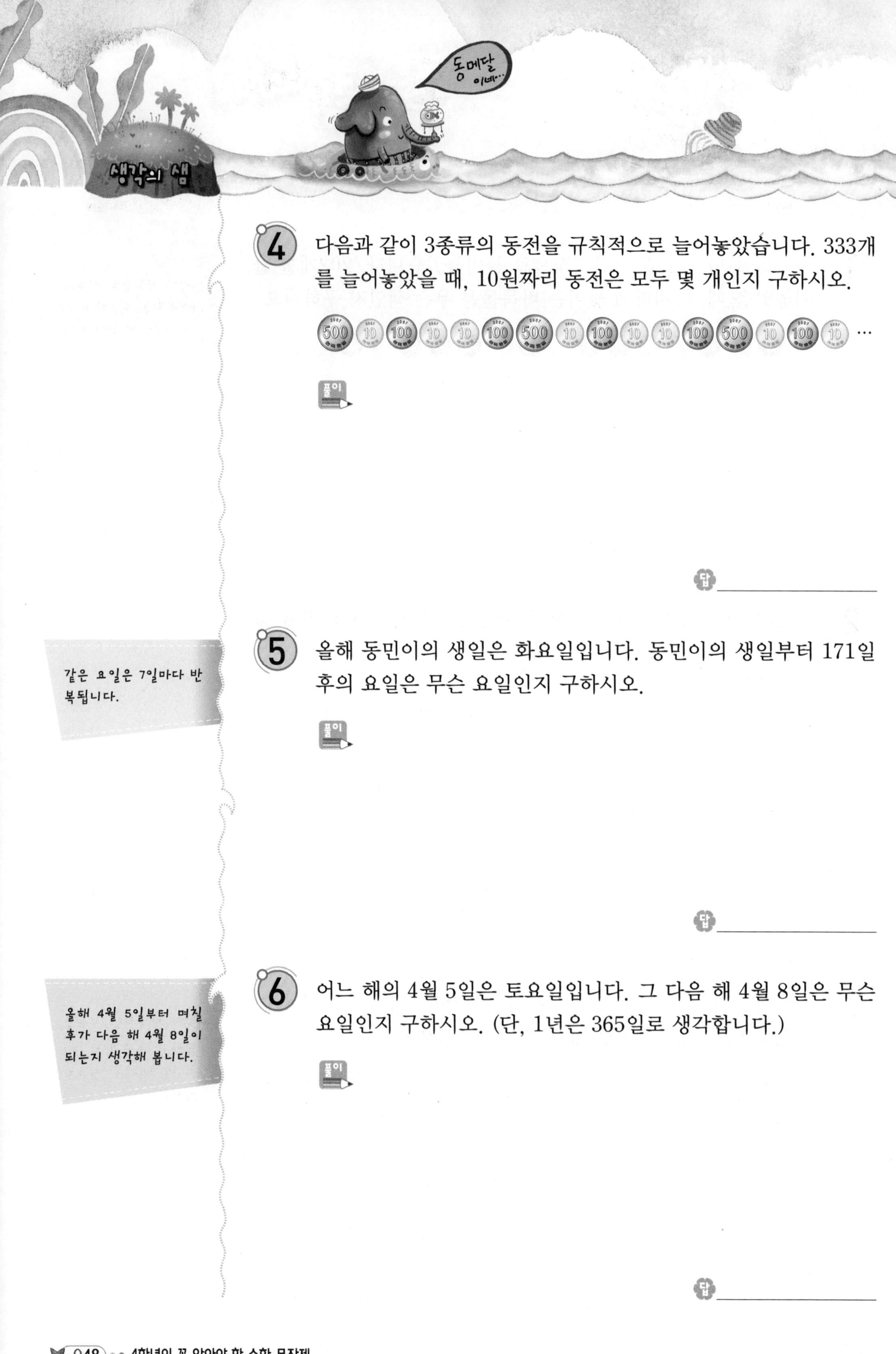

4 다음과 같이 3종류의 동전을 규칙적으로 늘어놓았습니다. 333개를 늘어놓았을 때, 10원짜리 동전은 모두 몇 개인지 구하시오.

500 10 100 10 10 100 500 10 100 10 10 100 500 10 100 10 …

풀이

답 ____________

같은 요일은 7일마다 반복됩니다.

5 올해 동민이의 생일은 화요일입니다. 동민이의 생일부터 171일 후의 요일은 무슨 요일인지 구하시오.

풀이

답 ____________

올해 4월 5일부터 며칠 후가 다음 해 4월 8일이 되는지 생각해 봅니다.

6 어느 해의 4월 5일은 토요일입니다. 그 다음 해 4월 8일은 무슨 요일인지 구하시오. (단, 1년은 365일로 생각합니다.)

풀이

답 ____________

1 다음과 같이 도형을 규칙적으로 늘어놓았습니다. 100째 번과 210째 번에 놓이는 도형은 각각 무슨 색인지 차례로 쓰시오.

 …

풀이

답 ____________

2 다음과 같이 알파벳이 쓰인 카드를 규칙적으로 늘어놓았습니다. 253장을 늘어놓았을 때, A와 M이 쓰인 카드는 모두 몇 장인지 구하시오.

반복되는 부분 안에 A와 M이 모두 몇 번 들어 있는지 알아봅니다.

A M E R I C A A M E R I C A A M …

풀이

답 ____________

3 다음과 같이 수를 규칙적으로 늘어놓았습니다. 처음부터 132째 번 수까지의 합을 구하시오.

반복되는 부분 안에 들어 있는 수들의 합을 먼저 구해 봅니다.

5, 3, 0, 0, 2, 5, 3, 0, 0, 2, 5, 3, 0, 0, 2, 5, …

풀이

답 ____________

4 다음과 같이 수를 규칙적으로 늘어놓았습니다. 처음부터 301째 번까지 8이 몇 번 나오는지 찾아 그 합을 구하시오.

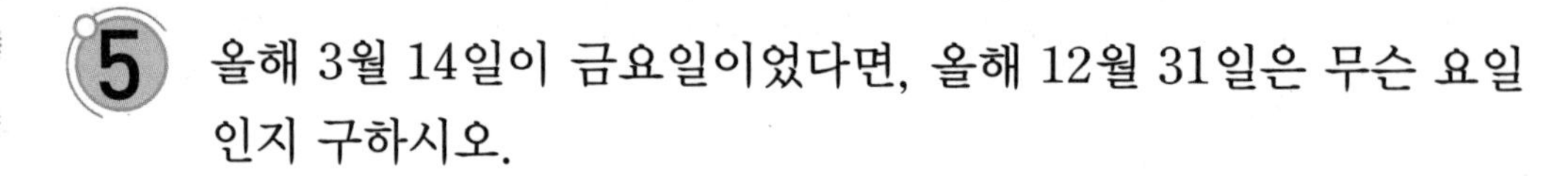
8, 5, 3, 8, 3, 3, 8, 5, 3, 8, 3, 3, 8, 5, 3, 8, 3, 3, 8, …

풀이

답 ______

3월 14일부터 12월 31일까지의 날수를 구해 봅니다.

5 올해 3월 14일이 금요일이었다면, 올해 12월 31일은 무슨 요일인지 구하시오.

풀이

답 ______

먼저 6월 1일은 무슨 요일인지 알아봅니다.

6 어느 해의 4월 29일은 일요일입니다. 이 해의 6월 둘째 주 금요일의 날짜와 다섯째 주 금요일의 날짜의 합은 얼마인지 구하시오.

풀이

답 ______

1 4종류의 동전을 규칙적으로 늘어놓았습니다. 38째 번까지의 동전의 금액을 모두 더하면 얼마인지 구하시오.

답 ____________

반복되는 부분 안에 들어 있는 동전의 금액의 합을 구해 봅니다.

2 위 **1**번에서 금액의 합이 8260원이 되는 것은 처음부터 몇째 번 동전까지의 합인지 구하시오.

답 ____________

8260원을 반복되는 부분 안의 금액의 합으로 나누어 보세요!

3 다음과 같이 수를 규칙적으로 늘어놓았습니다. 61째 번 수부터 90째 번 수까지의 합을 구하시오.

1, 0.2, 0.3, 0.3, 0.2, 2, 1, 0.2, 0.3, 0.3, 0.2, 2, 1, 0.2, ⋯

답 ____________

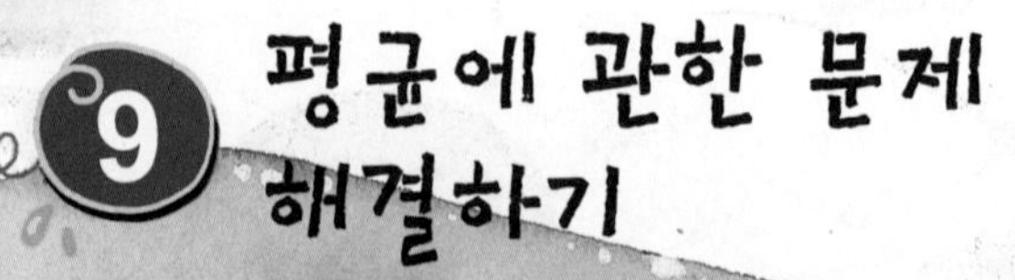

9 평균에 관한 문제 해결하기

탐구 문제

어느 장난감 공장에서 하루 동안 만든 장난감의 수를 기계별로 조사하여 나타낸 표입니다. 한 기계당 하루 동안 만든 장난감은 평균 몇 개인지 구하시오.

기계별 하루 동안 만든 장난감 수

기계	가	나	다	라
장난감 수(개)	110	140	120	70

풀이1 가, 나, 다, 라 기계가 하루 동안 만든 장난감의 총 개수는 110+140+120+70=440(개)이므로, 한 기계당 하루 동안 만든 장난감의 수는 440÷4=110(개)입니다.

풀이2 가 기계가 하루 동안 만든 장난감의 수를 기준으로 생각하면, 나 기계는 가 기계보다 30개를, 다 기계는 가 기계보다 10개를 더 많이 만들고, 라 기계는 가 기계보다 40개를 더 적게 만듭니다. 따라서, 나 기계와 다 기계에서 30+10=40(개)를 빼내어 라 기계에 더해준다면 네 기계 모두 110개가 됨을 알 수 있습니다.

꼼꼼 돌다리
(하루 동안 만든 평균 장난감의 수)
=(하루 동안 만든 장난감의 총 개수)÷(기계의 수)

가 기계	나 기계	다 기계	라 기계
110개	140−30(개) ➡ 110개	120−10(개) ➡ 110개	70+40(개) ➡ 110개

Check Point

전체를 더한 합계를 개수로 나눈 것을 평균이라고 합니다.
(평균)=(전체를 더한 합계)÷(개수)

확인 문제

율기는 5회에 걸쳐 국어 시험을 보았습니다. 점수가 다음과 같을 때, 평균 점수를 구하시오.

국어 점수

횟수(회)	1	2	3	4	5
점수(점)	76	84	80	92	88

1 국어 시험의 총점을 구하시오.

( )

2 국어 시험의 평균 점수를 구하시오.

( )

평균 점수는 5회까지의 총점을 시험 본 횟수로 나눠야겠지요?

1 한별이의 미니홈피에는 30일 동안 360명의 친구들이 방문하였습니다. 하루 평균 몇 명의 친구들이 방문한 셈인지 구하시오.

(하루 평균 방문한 친구들의 수)
=(30일 동안 방문한 친구들의 수)÷30

풀이

답 ____________

2 용희네 모둠 학생들의 턱걸이한 횟수를 조사하여 나타낸 표입니다. 8명의 학생들이 턱걸이한 평균 횟수를 구하시오.

먼저 용희네 모둠 학생들이 턱걸이한 총 횟수를 구합니다.

턱걸이 횟수

(단위 : 회)

용희	10	웅이	4	예슬	2	율기	7
한초	0	지혜	13	가영	12	한솔	8

풀이

답 ____________

3 다음 숫자 카드 3장을 한 번씩 사용하여 만들 수 있는 세 자리 수 중에서 가장 작은 수와 가장 큰 수의 평균을 구하시오.

2 5 8

풀이

답 ____________

1시간은 60분이고, 1주일은 7일임을 이용하여 분 단위로 구한 뒤 시간 단위로 나타냅니다.

4 규형이는 태권도를 하루 평균 40분씩 합니다. 규형이가 3주일 동안 태권도를 한 시간은 몇 시간인지 구하시오.

답 ____________

(효근이의 키)
=(신영이의 키)+10

5 신영이의 키는 130cm이고, 효근이는 신영이보다 10cm 더 큽니다. 두 사람의 키의 평균은 몇 cm인지 구하시오.

답 ____________

(문방구점에서 준비물을 산 하루 평균 학생 수)
=(문방구점에서 준비물을 산 총 학생 수)÷7

6 일 주일 동안 어느 문방구점에서 준비물을 산 학생 수를 조사하여 나타낸 표입니다. 이 문방구점에서 준비물을 산 학생 수가 하루 평균 학생 수보다 많은 요일을 모두 쓰시오.

문방구점에서 준비물을 산 학생 수

요일	일	월	화	수	목	금	토
학생 수(명)	28	47	15	22	30	29	25

답 ____________

1 가영이네 모둠 학생들의 1일 인터넷 사용 시간을 조사하여 나타낸 표입니다. 학생들의 인터넷 사용 시간은 하루 평균 몇 시간인지 구하시오.

인터넷 사용 시간

이름	가영	율기	한초	웅이	석기
사용 시간(시간)	2.2	3	1.6	1.9	1.3

답 ____________

소수의 덧셈을 이용하여 모둠 학생들이 인터넷을 사용한 총 시간을 구합니다.

2 48그루의 귤나무에서 한 그루당 평균 265개의 귤을 땄습니다. 이 귤을 한 상자에 40개씩 넣어 포장할 때, 상자는 모두 몇 개 필요한지 구하시오.

답 ____________

(48그루에서 딴 귤의 총 개수)
=(한 그루당 딴 평균 귤의 개수)×(귤나무 수)

3 십의 자리에서 반올림하여 500이 되는 수들의 평균을 구하시오.

429	501	460	555	400	482

답 ____________

십의 자리의 숫자가 0, 1, 2, 3, 4이면 버리고 5, 6, 7, 8, 9이면 올려서 나타내었을 때 500이 되는 수를 찾아봅니다.

- (세 사람의 몸무게의 합) =(세 사람의 몸무게의 평균)×3
- (두 사람의 몸무게의 합) =(두 사람의 몸무게의 평균)×2

4 동민, 영수, 용희의 몸무게의 평균은 42kg이고 예슬, 한솔이의 몸무게의 평균은 37kg입니다. 5명의 몸무게의 평균을 구하시오.

답 ______________

자란 식물의 키를 자란 시간으로 나눕니다.

5 어느 식물의 키를 4시간마다 조사하여 나타낸 꺾은선그래프입니다. 식물은 한 시간 동안 평균 몇 mm씩 자란 셈인지 구하시오.

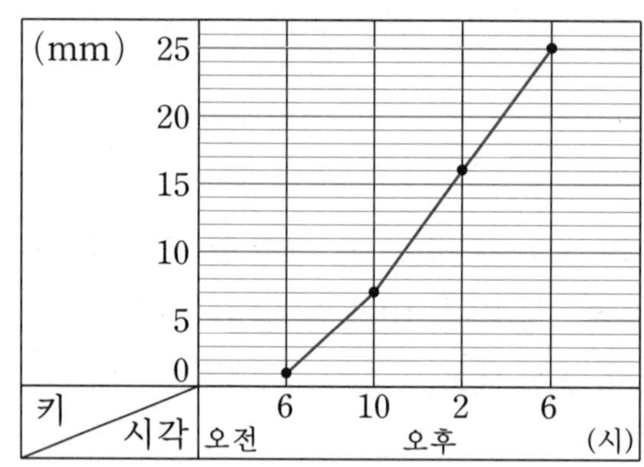

답 ______________

(안경을 낀 총 학생 수) =(안경을 낀 평균 학생 수)×5

6 다음은 웅이네 학교 4학년 중에서 안경을 낀 학생을 반별로 조사하여 나타낸 표입니다. 2반에서 안경을 낀 학생은 몇 명인지 구하시오.

반별 안경을 낀 학생 수

반	1	2	3	4	5	평균
학생 수(명)	10		12	7	14	11

답 ______________

1 어느 극장의 입장객 수를 나타낸 표입니다. 5회의 입장객 수는 4회까지의 평균 입장객 수와 같고, 6회의 입장객 수는 5회의 입장객 수보다 10명 적다고 합니다. 6회의 입장객 수를 구하시오.

(5회 입장객 수)
=(4회까지 총 입장객 수)÷4

극장 입장객 수

회	1회	2회	3회	4회	5회	6회
입장객 수(명)	120	175	240	221		

답 ________________

2 지혜와 율기가 각각 주사위를 던져서 나온 눈의 수를 나타낸 표입니다. 한 회 평균 눈의 수가 서로 같다고 할 때, 율기가 4회째에 던져서 나온 주사위의 눈의 수를 구하시오.

(지혜의 한 회 평균 눈의 수)
=(눈의 수의 총합)÷4

지혜가 던진 주사위의 눈의 수

횟수(회)	1	2	3	4
눈의 수	6	1	2	3

율기가 던진 주사위의 눈의 수

횟수(회)	1	2	3	4	5
눈의 수	4	2	1		3

답 ________________

3 한별이의 국어, 수학 두 과목의 평균 점수는 84점입니다. 과학 시험에서 몇 점을 받아야 세 과목의 평균 점수가 88점이 되는지 구하시오.

2과목의 총점은?
➡ (평균)×2
3과목의 총점은?
➡ (평균)×3

풀이

답 ________________

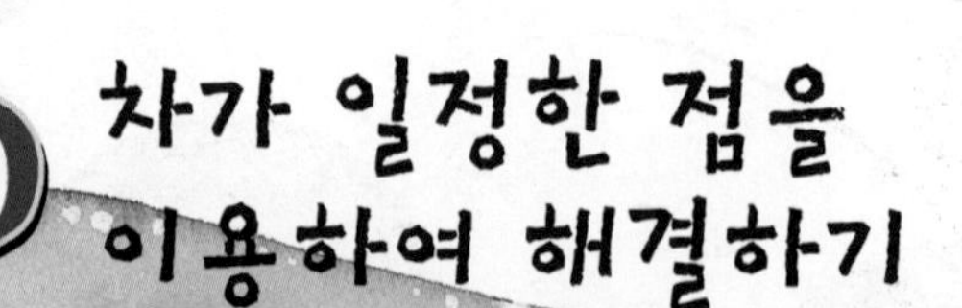

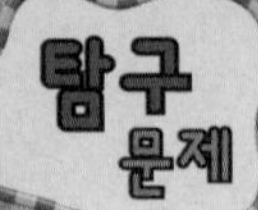

올해 신영이의 나이는 11살이고, 아버지의 연세는 45세입니다. 아버지의 연세가 신영이의 나이의 3배가 되는 것은 지금부터 몇 년 후인지 구하시오.

풀이 아버지와 신영이의 나이의 차는 $45-11=34$(살)입니다. 몇 년 후의 나이를 그림으로 나타내면 다음과 같습니다.

아버지의 연세
34살
신영이의 나이

위의 그림에서 몇 년 후의 신영이의 나이는 $34\div(3-1)=17$(살)이 됩니다. 따라서, 3배가 되는 것은 $17-11=6$(년) 후입니다.

꼼꼼 돌다리

아버지와 신영이의 나이의 차는 시간이 지나도 항상 같음을 이용하여 답을 구합니다.

Check Point

차가 항상 일정하다는 것을 생각하여 문제를 해결합니다.

확인 문제

상연이는 올해 8살이고, 삼촌은 상연이보다 18살 더 많습니다. 삼촌의 연세가 상연이의 나이의 3배가 될 때의 삼촌의 연세를 구하시오.

1 몇 년 후의 삼촌과 상연이의 나이를 그림으로 나타내었습니다. □ 안에 알맞은 수를 써 넣으시오.

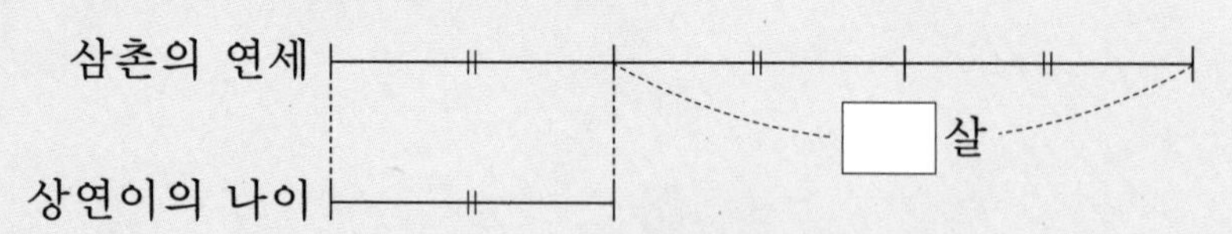

삼촌과 상연이의 나이 차는 몇 년 후에도 변함이 없습니다.

2 몇 년 후의 상연이의 나이는 몇 살입니까?

( )

3 삼촌의 연세가 상연이의 나이의 3배가 될 때의 삼촌의 연세를 구하시오.

( )

생각의 샘

1 올해 율기의 나이는 7살이고, 아버지의 연세는 34세입니다. 아버지의 연세가 율기의 나이의 4배가 되는 것은 올해부터 몇 년 후인지 구하시오.

> 몇 년 후에도 율기의 나이와 아버지의 연세의 차는 항상 같습니다.

답 ____________

2 올해 할머니의 연세는 66세이고, 웅이의 나이는 12살입니다. 할머니의 연세가 웅이의 나이의 4배가 되는 것은 올해부터 몇 년 후인지 구하시오.

> 몇 년 후의 웅이의 나이는 (할머니와 웅이의 나이의 차)÷(4-1)입니다.

답 ____________

3 올해 할아버지의 연세는 75세이고, 손자의 나이는 10살입니다. 할아버지의 연세가 손자의 나이의 6배가 되는 것은 올해부터 몇 년 후인지 구하시오.

몇 년 전의 아들의 나이는 (어머니와 아들의 나이의 차)÷(5－1)입니다.

4 올해 어머니의 연세는 39세이고, 아들의 나이는 11살입니다. 어머니의 연세가 아들의 나이의 5배가 되었던 것은 올해부터 몇 년 전인지 구하시오.

답 ____________

5 올해 한별이의 나이는 15살이고, 큰아버지의 연세는 63세입니다. 큰아버지의 연세가 한별이의 나이의 7배가 되었던 때는 올해부터 몇 년 전인지 구하시오.

답 ____________

두 사람의 스티커의 수의 차는 변함이 없습니다.

6 지금 스티커를 율기는 50장, 석기는 30장을 가지고 있습니다. 두 사람이 스티커를 내일부터 하루에 한 장씩 사용한다면, 율기의 남는 스티커의 수가 석기의 남는 스티커의 수의 2배가 되는 것은 며칠 후인지 구하시오.

답 ____________

은메달 따기

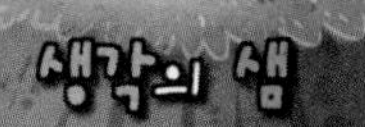

1 올해 선생님과 신영이의 나이의 차는 24살이고, 선생님의 연세는 신영이의 나이의 3배입니다. 올해 선생님의 연세를 구하시오.

> 신영이의 나이를 ①로 놓으면 선생님의 연세는 ③입니다.

풀이

답 ____________

2 올해 할아버지와 예슬이의 나이의 차는 60살이고, 할아버지의 연세는 예슬이의 나이의 6배입니다. 올해 할아버지와 예슬이의 나이의 합을 구하시오.

풀이

답 ____________

3 올해 효근이와 동생의 나이의 합은 26살이고, 나이의 차는 10살입니다. 효근이의 나이가 동생의 나이의 3배가 되었던 것은 올해부터 몇 년 전인지 구하시오.

> 먼저 올해 동생의 나이를 구합니다.

풀이

답 ____________

4 올해 큰아버지의 연세와 영수의 나이의 합은 54살이고, 나이의 차는 40살입니다. 큰아버지의 연세가 영수의 나이의 5배가 되는 것은 올해부터 몇 년 후인지 구하시오.

풀이

답 ____________

아버지와 가영이의 나이의 차는? ➡ 30

5 올해 가영이의 나이는 10살이고, 아버지의 연세는 가영이의 나이보다 30살 더 많습니다. 아버지의 연세가 가영이의 나이의 3배가 되는 해의 아버지의 연세를 구하시오.

답 ____________

두 사람의 남는 돈의 차는 오늘 가지고 있는 돈의 차와 같습니다.

6 오늘 규형이는 16000원, 신영이는 20000원을 가지고 있습니다. 두 사람이 다음 주부터 매주 1000원씩 쓰기로 하였다면 신영이의 남는 돈이 규형이의 남는 돈의 3배가 되는 것은 몇 주 후인지 구하시오.

답 ____________

1 어머니의 연세는 석기의 나이보다 28살 더 많습니다. 6년 후에 어머니의 연세가 석기의 나이의 3배가 된다고 합니다. 올해 어머니와 석기의 나이를 각각 구하시오.

6년 후에도 어머니와 석기의 나이의 차는 항상 같습니다.

답 ______________________

2 삼촌의 연세는 웅이의 나이보다 27살 더 많습니다. 3년 전에 삼촌의 연세가 웅이의 나이의 4배였다고 합니다. 올해 삼촌과 웅이의 나이의 합을 구하시오.

답 ______________

3 올해 아버지의 연세는 42세이고, 두 딸의 나이는 각각 10살, 8살입니다. 두 딸의 나이의 합이 아버지의 연세와 같아지는 것은 올해부터 몇 년 후인지 구하시오.

두 딸의 나이의 합은 1년에 2살씩 많아지고 아버지의 연세는 1살씩 많아집니다.

답 ______________

11 합이 일정한 점을 이용하여 해결하기

탐구 문제

사탕을 석기는 45개, 한솔이는 37개 갖고 있습니다. 두 사람이 가진 사탕의 수가 같아지려면 석기는 한솔이에게 사탕을 몇 개 주어야 하는지 구하시오.

풀이 석기와 한솔이가 갖고 있는 사탕의 개수의 합은 $45+37=82$(개)이므로 두 사람이 $82 \div 2=41$(개)씩 가져야 같아집니다. 그림으로 나타내면 다음과 같습니다.

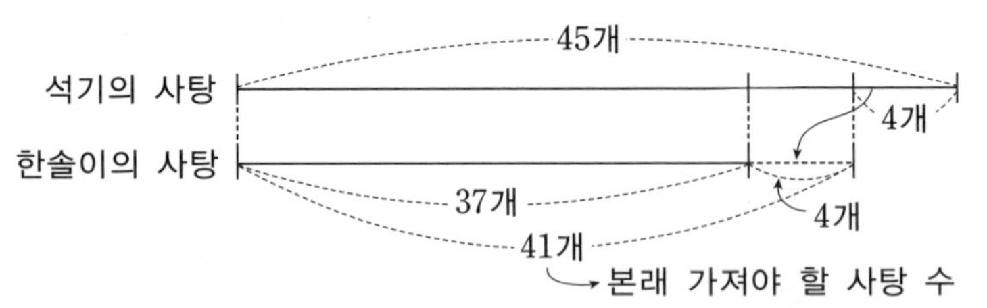

따라서, 석기가 한솔이에게 $45-41=4$(개)를 주어야 사탕의 수가 서로 같아집니다.

꼼꼼 돌다리
두 사람이 사탕을 주고 받아도 두 사람이 갖고 있는 사탕의 수의 합은 변하지 않습니다.

Check Point

두 수의 합이 항상 일정하다는 것을 생각하여 문제를 해결합니다.

확인 문제

가, 나 두 상자에 각각 80개, 60개의 블록이 들어 있었습니다. 가 상자에서 나 상자로 블록을 몇 개 옮겼더니 두 상자의 블록의 개수가 같아졌습니다. 옮긴 블록은 몇 개인지 구하시오.

1 두 상자에 들어 있는 블록은 모두 몇 개입니까?

(　　　　　　　)

2 두 상자 안의 블록의 개수를 서로 같게 할 때, 블럭의 개수는 각각 몇 개인지 구하시오.

(　　　　　　　)

두 상자에 들어 있는 블록의 개수의 합을 반으로 나누면 같아지겠죠!

3 가 상자에서 나 상자로 블록을 몇 개 옮겼는지 구하시오.

(　　　　　　　)

1 연필을 영수는 30자루, 한솔이는 50자루를 갖고 있었습니다. 한솔이가 영수에게 몇 자루를 주었더니 두 사람이 가진 연필의 수가 같아졌습니다. 한솔이는 영수에게 연필을 몇 자루 주었는지 구하시오.

두 사람이 갖고 있는 연필의 수의 합은 변하지 않습니다.

풀이

답 ________

2 물병 가와 나에 각각 300mL, 750mL의 물이 들어 있었습니다. 나에서 가로 물을 옮겨 넣었더니 두 물병의 물의 양이 같아졌습니다. 나에서 가로 옮겨 넣은 물은 몇 mL인지 구하시오.

물을 옮겨 넣은 후에 각각의 물병에 들어 있는 물의 양은 {(300 + 750) ÷ 2}mL입니다.

풀이

답 ________

3 클립을 웅이는 258개, 가영이는 304개 갖고 있었습니다. 가영이가 웅이에게 몇 개를 주었더니 두 사람이 가진 클립의 개수가 같아졌습니다. 가영이는 웅이에게 클립을 몇 개 주었는지 구하시오.

풀이

답 ________

두 창고의 벽돌이 몇 개씩으로 같아질지 생각하세요!

4 창고 가에는 벽돌이 450장, 나에는 벽돌이 750장 있었습니다. 나에서 가로 1분에 30장씩 몇 분 동안 벽돌을 옮겼더니 두 창고의 벽돌의 수가 같아졌습니다. 벽돌을 옮긴지 몇 분 만에 창고의 벽돌의 수가 같아졌는지 구하시오.

답 ____________

5 가 상자에 파란색 구슬이 1600개, 나 상자에 노란색 구슬이 1300개 들어 있었습니다. 가 상자의 구슬을 나 상자에 한 번에 몇 개씩 25번 옮겨 넣었더니, 두 상자의 구슬의 개수가 같아졌습니다. 한 번 옮길 때마다 몇 개씩 옮겨 넣은 것인지 구하시오.

답 ____________

1L = 1000mL임을 이용하여 두 물통의 물의 양을 mL 단위로 알아봅니다.

6 물통 가에는 20.6L, 물통 나에는 36.8L의 물이 들어 있었습니다. 나에서 가로 10분 동안 물을 옮겼더니 두 물통의 물의 양이 같아졌습니다. 1분에 몇 mL씩 옮겨 넣은 셈인지 구하시오.

답 ____________

1 한초와 형이 합하여 12000원을 갖고 있었습니다. 형이 한초에게 3000원을 주어 두 사람이 가진 돈의 액수가 같아졌다면 처음에 형은 얼마를 가지고 있었는지 구하시오.

> 서로 같아진 돈의 액수는?
> ➡ (12000÷2)원

풀이

답 ____________

2 동화책을 용희는 20권, 동민이는 70권 갖고 있었습니다. 동민이가 용희에게 동화책을 몇 권 주고 나니, 동민이의 동화책의 수가 용희의 동화책의 수의 2배가 되었습니다. 동민이가 용희에게 동화책을 몇 권 주었는지 구하시오.

> 용희의 동화책의 수가 ①이 될 때, 동민이의 동화책의 수는 ②가 되겠군요!

답 ____________

3 한솔이와 웅이는 연필을 각각 3다스, 2다스 갖고 있었습니다. 웅이가 한솔이에게 연필을 몇 자루 주고 나니, 한솔이의 연필의 수가 웅이의 연필의 수의 3배가 되었습니다. 웅이가 한솔이에게 연필을 몇 자루 주었는지 구하시오.

> 두 사람이 가지고 있는 연필 수의 합은 변함이 없습니다.

답 ____________

4 상자 가와 나에 귤이 각각 88개, 68개 들어 있었습니다. 상자 나에서 가로 귤을 몇 개 옮겨 넣었더니, 상자 가의 귤의 개수가 상자 나의 귤 개수의 3배가 되었습니다. 상자 나에서 가로 귤을 몇 개 옮겨 넣었는지 구하시오.

풀이

답 ____________

> 같은 금액을 내었으면 두 사람이 (50÷2)장씩 가져야 합니다.

5 효근이와 영수는 같은 금액을 내어 카드 50장을 샀습니다. 효근이가 영수보다 10장을 더 갖기로 하고 대신에 영수에게 700원을 주었습니다. 효근이와 영수는 처음에 얼마씩 내었는지 구하시오.

답 ____________

> 용희가 가진 공책 수는?
> ➡ (56 + 4) ÷ 2
> 용희가 본래 가져야 할 공책 수?
> ➡ 56 ÷ 2

6 지혜와 용희는 같은 금액을 내어 공책 56권을 샀습니다. 용희가 지혜보다 4권을 더 갖기로 하고 대신에 지혜에게 1000원을 주었습니다. 지혜와 용희가 처음에 낸 돈은 모두 얼마인지 구하시오.

답 ____________

1 율기와 상연이는 각각 2000원씩 내서 색도화지 40장을 산 후 율기가 상연이보다 8장을 더 많게 가졌습니다. 각자 나누어 가진 색도화지 장 수만큼 돈을 내려면 율기는 상연이에게 얼마를 주면 되는지 구하시오.

율기가 가진 색도화지의 장 수는?
➡ (40 + 8) ÷ 2

답 ____________

2 신영이는 사탕을 90개, 규형이는 사탕을 110개 갖고 있었습니다. 규형이가 신영이에게 사탕을 몇 개 주고 나니, 규형이는 신영이보다 사탕을 12개 더 많이 가지게 되었습니다. 규형이가 신영이에게 사탕을 몇 개 주었는지 구하시오.

규형이의 나중 사탕 수는?
➡ {(사탕 수의 합) + 12} ÷ 2

답 ____________

3 한솔이와 석기는 리본을 각각 80cm, 1m 20cm를 갖고 있었습니다. 석기가 한솔이에게 리본을 몇 cm 주고 나니 오히려 한솔이가 석기보다 16cm 더 많아졌습니다. 석기가 한솔이에게 리본을 몇 cm 준 것인지 구하시오.

답 ____________

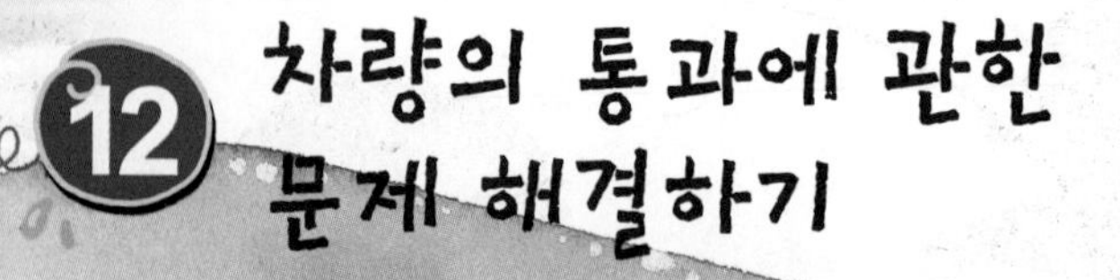

12 차량의 통과에 관한 문제 해결하기

탐구 문제

길이가 200m인 열차가 1초에 40m의 빠르기로 달리고 있습니다. 이 열차가 길이 1000m의 철교를 완전히 건너는 데는 몇 초가 걸리는지 구하시오.

풀이 그림을 그려 살펴봅니다.

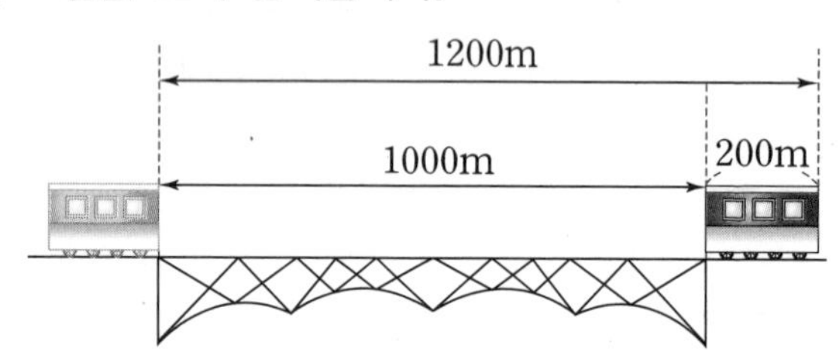

꼼꼼 돌다리

(열차가 다리를 완전히 건너는 데 움직인 거리)
=(철교의 길이)+(열차의 길이)

열차가 철교의 진입 부분에 들어서서 완전히 건널 때까지 열차가 이동한 거리는 $1000+200=1200$(m)입니다.
따라서, 열차가 철교를 완전히 건너는 데 걸리는 시간은 $1200\div40=30$(초)입니다.

Check Point

- (철교를 건너는 데 걸린 시간)={(철교의 길이)+(열차의 길이)}÷(열차의 빠르기)
- (열차가 어느 지점을 지나는 데 걸린 시간)=(열차의 길이)÷(열차의 빠르기)

확인 문제

길이가 110m인 열차가 1초에 30m의 빠르기로 달리고 있습니다. 이 열차가 길이 1390m의 철교를 완전히 건너는 데는 몇 초가 걸리는지 구하시오.

1 철교의 길이는 몇 m입니까?

( )

2 열차가 철교의 진입 부분에 들어서서 완전히 건널 때까지 몇 m를 움직여야 합니까?

( )

3 철교를 완전히 건너는 데는 몇 초가 걸리는지 구하시오.

( )

열차가 이동한 거리를 구할 때는 철교의 길이에 열차의 길이를 더해야 합니다.

1 길이가 155m인 열차가 5초 만에 기찻길 옆에 서 있는 전봇대 앞을 지나갔습니다. 이 열차는 1초에 몇 m를 달린 셈인지 구하시오.

(1초에 간 거리)
=(열차의 길이)
÷(걸린 시간)

풀이

답 ________________

2 길이가 12m인 버스가 3초 만에 도로 옆에 서 있는 가로수 앞을 지나갔습니다. 이 버스는 1초에 몇 m를 달린 셈인지 구하시오.

(1초에 간 거리)
=(버스의 길이)÷3

답 ________________

3 길 옆에 서 있는 은행나무 앞을 길이가 160m인 열차가 8초 만에 지나갔습니다. 이 열차는 1초에 몇 m를 달린 셈인지 구하시오.

답 ________________

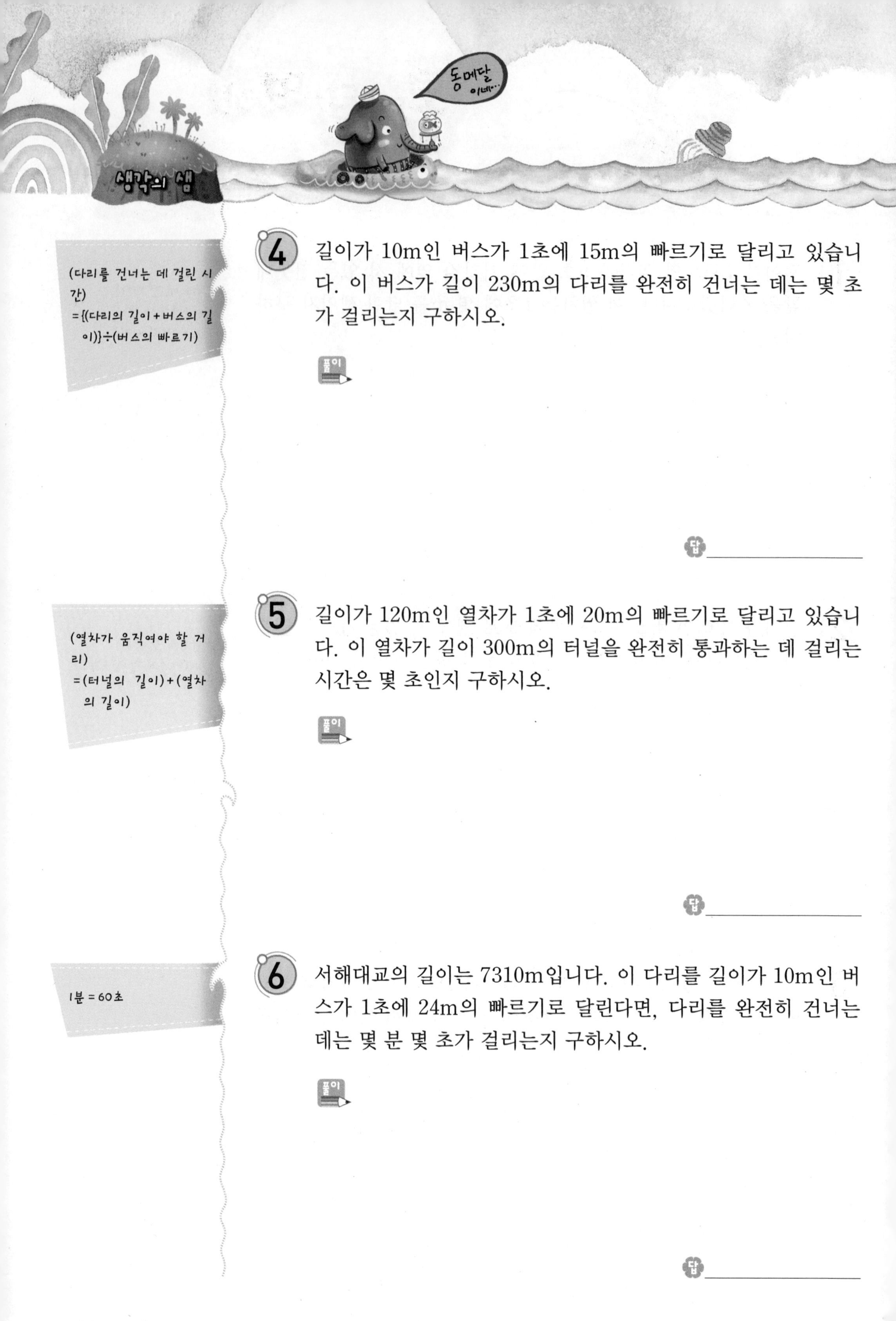

(다리를 건너는 데 걸린 시간)
={(다리의 길이+버스의 길이)}÷(버스의 빠르기)

4 길이가 10m인 버스가 1초에 15m의 빠르기로 달리고 있습니다. 이 버스가 길이 230m의 다리를 완전히 건너는 데는 몇 초가 걸리는지 구하시오.

풀이

답 ________________

(열차가 움직여야 할 거리)
=(터널의 길이)+(열차의 길이)

5 길이가 120m인 열차가 1초에 20m의 빠르기로 달리고 있습니다. 이 열차가 길이 300m의 터널을 완전히 통과하는 데 걸리는 시간은 몇 초인지 구하시오.

풀이

답 ________________

1분 = 60초

6 서해대교의 길이는 7310m입니다. 이 다리를 길이가 10m인 버스가 1초에 24m의 빠르기로 달린다면, 다리를 완전히 건너는 데는 몇 분 몇 초가 걸리는지 구하시오.

풀이

답 ________________

1 1초에 15m의 빠르기로 달리는 열차가 20초 만에 다리를 완전히 건넜습니다. 이 열차의 길이가 90m이면, 다리의 길이는 몇 m인지 구하시오.

풀이

답 ____________

(열차가 움직인 거리)
=(열차의 빠르기)
×(열차가 다리를 건너는 데 걸린 시간)
(다리의 길이)
=(열차가 움직인 거리)
−(열차의 길이)

2 길이가 9m인 버스가 1초에 18m의 빠르기로 달리고 있습니다. 이 버스가 터널을 완전히 통과하는 데 26초가 걸렸다면, 터널의 길이는 몇 m인지 구하시오.

풀이

답 ____________

(터널의 길이)
=(버스가 움직인 거리)
−(버스의 길이)

3 길이가 4m인 자동차가 1초에 24m의 빠르기로 달리고 있습니다. 이 자동차가 어떤 다리를 완전히 건너는 데 46초가 걸렸습니다. 다리의 길이는 몇 m인지 구하시오.

풀이

답 ____________

(다리의 길이)
=(자동차가 움직인 거리)−(자동차의 길이)

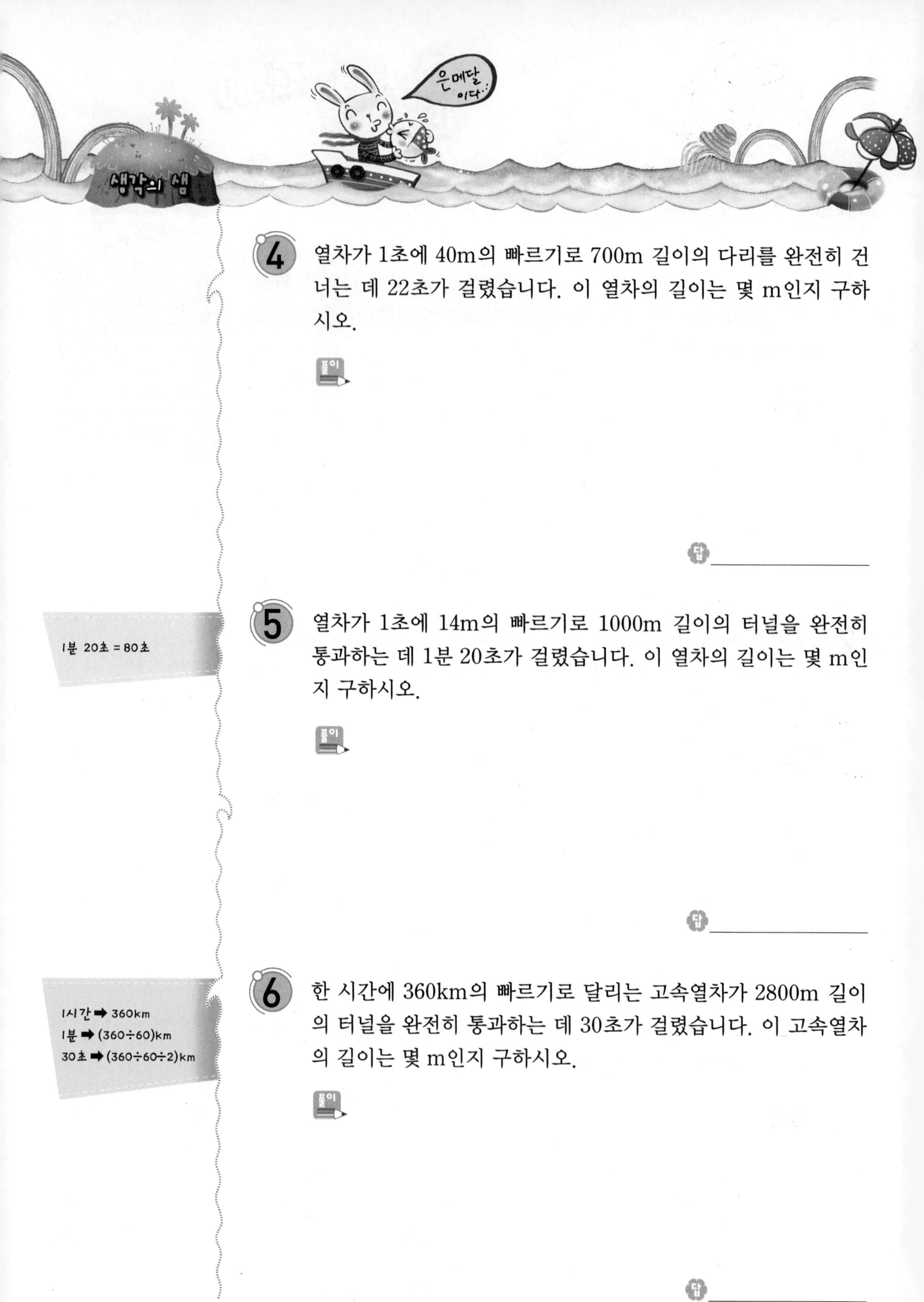

4 열차가 1초에 40m의 빠르기로 700m 길이의 다리를 완전히 건너는 데 22초가 걸렸습니다. 이 열차의 길이는 몇 m인지 구하시오.

풀이

답 ________________

1분 20초 = 80초

5 열차가 1초에 14m의 빠르기로 1000m 길이의 터널을 완전히 통과하는 데 1분 20초가 걸렸습니다. 이 열차의 길이는 몇 m인지 구하시오.

풀이

답 ________________

1시간 ➡ 360km
1분 ➡ (360÷60)km
30초 ➡ (360÷60÷2)km

6 한 시간에 360km의 빠르기로 달리는 고속열차가 2800m 길이의 터널을 완전히 통과하는 데 30초가 걸렸습니다. 이 고속열차의 길이는 몇 m인지 구하시오.

풀이

답 ________________

1 길이가 140m인 열차가 1초에 30m의 빠르기로 어떤 터널을 완전히 통과하는 데 40초가 걸렸습니다. 길이가 220m인 다른 열차가 1초에 40m의 빠르기로 이 터널을 완전히 통과하려면 몇 초가 걸리는지 구하시오.

(터널의 길이)
=(열차가 움직인 거리)
-(열차의 길이)

답 ____________

2 어떤 열차가 1초에 25m의 빠르기로 2500m 길이의 철교를 완전히 건너는 데 1분 46초가 걸렸습니다. 이 열차가 1초에 15m의 빠르기로 1320m 길이의 터널을 완전히 통과하는 데는 몇 분 몇 초가 걸리는지 구하시오.

(터널을 통과하는 데 걸리는 시간)
={(터널의 길이)
+(열차의 길이)}
÷(열차의 빠르기)

답 ____________

3 어떤 버스가 5초에 60m의 빠르기로 길이가 1430m인 터널을 완전히 통과하는 데 2분이 걸렸습니다. 이 버스가 1초에 4m씩 더 빨리 달려서 1110m 길이의 다리를 완전히 건너는 데는 몇 분 몇 초가 걸리는지 구하시오.

5초에 60m를 달리면 1초에는 몇 m를 달리는지 알아봅니다.

답 ____________

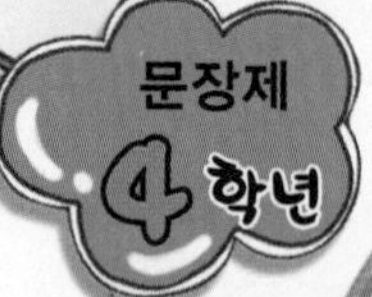

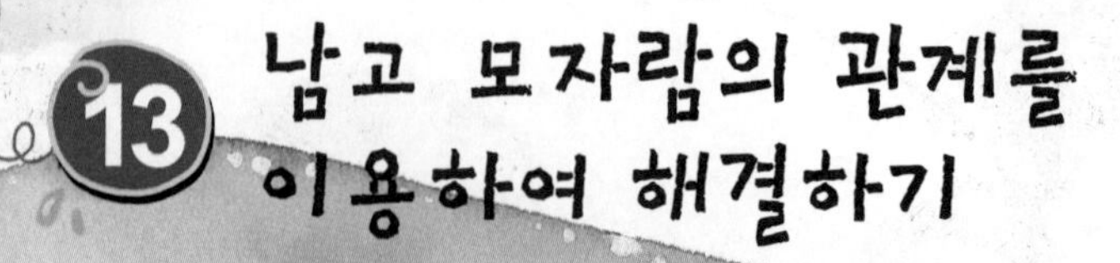

남고 모자람의 관계를 이용하여 해결하기

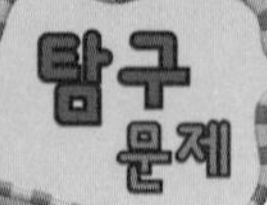

떡을 몇 사람에게 나누어 주려고 합니다. 한 사람당 3개씩 나누어 주면 4개가 남고, 6개씩 나누어 주면 8개가 부족하다고 합니다. 사람 수와 떡 수를 각각 구하시오.

풀이 사람 수를 □명으로 하고, 3개씩 나누어 줄 때와 6개씩 나누어 줄 때에 필요한 떡 수의 차이를 선분으로 나타내어 생각해 봅니다.

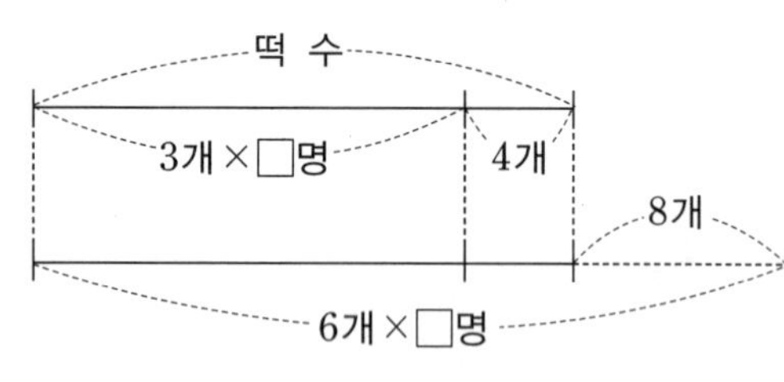

왼쪽 그림에서 볼 때, 사람들에게 떡을 3개씩 줄 때와 6개씩 줄 때의 떡 수의 차는 $4+8=12$(개)이므로 사람 수는 $12 \div (6-3)=4$(명)이고, 떡 수는 $3 \times 4+4=16$(개)입니다.

Check Point

- (남고 부족할 때의 차) ➡ (남음)+(부족)
- (양쪽 모두 남을 때의 차) ➡ (남음)−(남음)
- (양쪽 모두 부족할 때의 차) ➡ (부족)−(부족)

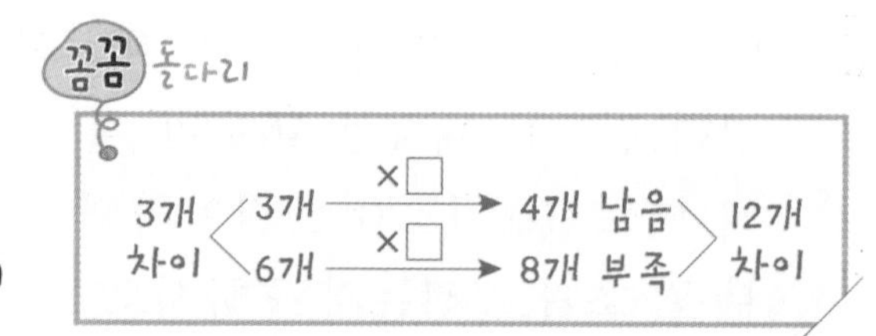

확인 문제

케이크 몇 조각을 학생들에게 나누어 주려고 합니다. 한 사람당 2조각씩 주면 3조각이 남고, 4조각씩 주면 5조각이 부족하다고 합니다. 사람 수와 케이크 조각 수를 각각 구하시오.

1 사람 수를 ★명으로 하여 오른쪽 그림과 같이 선분으로 나타내었습니다. □ 안에 알맞은 수를 써 넣으시오.

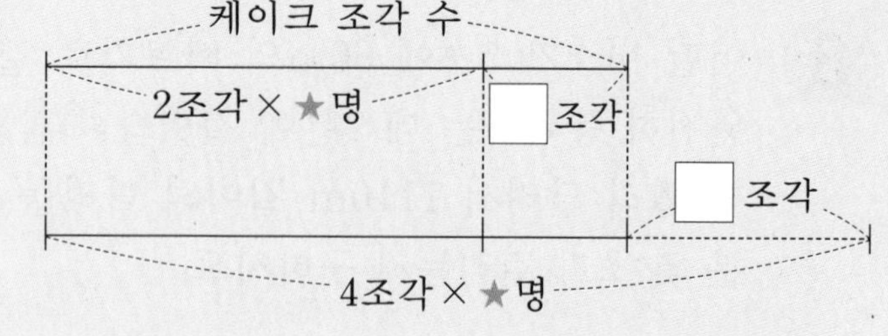

2 사람 수는 몇 명입니까?

( )

3 케이크는 몇 조각인지 구하시오.

( )

1 왕 슈퍼마켓에 있는 아이스크림을 한 사람당 5개씩 팔면 72개가 남고, 9개씩 팔면 48개가 부족하다고 합니다. 왕 슈퍼마켓에 있는 아이스크림은 몇 개인지 구하시오.

> 사람 수를 □명이라 하고 사람 수를 먼저 구해 봅니다.

풀이

답 ______________

2 종이 테이프를 학생들에게 나누어 주려고 합니다. 한 사람당 140cm씩 나누어 주면 400cm가 남고, 170cm씩 나누어 주면 230cm가 부족하다고 합니다. 종이 테이프는 몇 m 몇 cm인지 구하시오.

> 남고 부족할 때의 차는 (남음)+(부족)으로 생각합니다.

답 ______________

3 큰 통에 물이 가득 들어 있습니다. 이 물을 크기가 같은 몇 개의 작은 통에 나누어 담으려고 합니다. 400mL씩 나누어 담으면 1L 700mL가 남고, 600mL씩 나누어 담으면 500mL가 남습니다. 큰 통에 들어 있는 물은 몇 mL인지 구하시오.

> 1L=1000mL입니다.
> 양쪽 모두 남을 때의 차는 (남음)−(남음)으로 생각합니다.

답 ______________

양쪽 모두 부족할 때의 차는 (부족)-(부족)으로 생각합니다.

4 율기는 다람쥐들에게 도토리를 나누어 주려고 합니다. 한 마리당 8알씩 나누어 주면 24알이 부족하고, 5알씩 나누어 주면 6알이 부족하게 됩니다. 다람쥐 수와 도토리 수를 각각 구하시오.

풀이

답 ______________

남거나 부족함이 없습니다.
➡ 부족한 연필 수가 0입니다.

5 연필 몇 자루를 학생들에게 나누어 주려고 합니다. 한 사람당 7자루씩 나누어 주면 20자루가 부족하고, 3자루씩 나누어 주면 남거나 부족함이 없습니다. 연필은 몇 자루인지 구하시오.

풀이

답 ______________

6 놀이터에 있는 어린이들끼리 구슬을 나누어 가지려고 합니다. 한 사람당 11개씩 나누어 가지면 남거나 부족함 없이 꼭맞게 되고, 7개씩 나누어 가지면 28개가 남는다고 합니다. 구슬은 몇 개인지 구하시오.

풀이

답 ______________

생각의 샘

1 밤을 한 사람에게 5개씩 나누어 주면 14개가 남고, 6개씩을 더 나누어 주면 34개가 부족하다고 합니다. 밤은 몇 개인지 구하시오.

> 밤을 6개씩 더 주면 한 사람에게 5+6=11(개)씩 주게 됩니다.

풀이

답 ________

2 색종이를 한 사람에게 6장씩 나누어 주면 18장이 부족하고, 2장씩 덜 나누어 주면 12장이 남습니다. 색종이는 몇 장인지 구하시오.

> 색종이를 2장씩 덜 주면 한 사람에게 6－2＝4(장)씩 나누어 주게 됩니다.

풀이

답 ________

3 용희는 가지고 있는 돈으로 아이스크림을 사서 친구들과 한 개씩 나누어 먹으려고 합니다. 한 개에 600원 하는 아이스크림을 사려고 하니 200원이 부족하고, 500원 하는 아이스크림을 사려고 하니 800원이 남습니다. 용희의 친구는 모두 몇 명인지 구하시오.

> 용희의 친구 수는 (전체 사람 수)−1로 나타냅니다.

풀이

답 ________

8개씩 넣을 때 10상자가 부족하다는 것은 배 $8\times10=80$(개)가 남는다는 뜻과 같고, 10개씩 넣을 때 4상자가 남는다는 것은 배 $10\times4=40$(개)가 부족하다는 뜻과 같습니다.

4 똑같은 크기의 상자가 여러 개 있습니다. 상자마다 배를 8개씩 넣으면 상자는 꼭 10개가 부족하고, 10개씩 넣으면 상자는 꼭 4개가 남습니다. 배는 몇 개인지 구하시오.

답 ________

양쪽 모두 남을 때의 차는 (남음)-(남음)으로 계산합니다.

5 똑같은 크기의 주머니가 여러 개 있습니다. 주머니마다 사탕을 5개씩 넣으면 주머니는 꼭 14개가 부족하고, 10개씩 넣으면 주머니는 꼭 2개가 부족합니다. 사탕은 몇 개인지 구하시오.

답 ________

7명의 학생들에게 똑같이 나누어 주었다면 도화지 수는 남거나 부족함이 없게 됩니다.

6 7명의 학생들에게 똑같이 나누어 주려고 도화지 몇 장을 사 왔는데, 학생 수를 다시 세어 보니 12명이었습니다. 처음 생각대로 도화지를 나누어 주면 40장이 부족하게 됩니다. 사 온 도화지는 몇 장인지 구하시오.

답 ________

1 삶은 달걀을 몇 명에게 나누어 주려고 합니다. 한 사람당 10개씩 나누어 주면 6개가 남고, 4개씩 나누어 주면 24개가 남는다고 합니다. 삶은 달걀이 남지 않도록 꼭맞게 나누어 주려면 한 사람당 몇 개씩 나누어 주어야 하는지 구하시오.

(나누어 줄 삶은 달걀 수)
=(전체 삶은 달걀 수)
÷(사람 수)

답 ____________

2 군밤을 몇 명의 학생들에게 나누어 주려고 합니다. 한 학생당 11개씩 나누어 주면 8개가 부족하고, 7개씩 나누어 주면 24개가 남는다고 합니다. 군밤이 남거나 부족함이 없도록 나누어 주려면 한 학생당 몇 개씩 나누어 주어야 하는지 구하시오.

답 ____________

3 큰 통에 가득 들어 있는 물을 6L들이의 작은 물통 여러 개에 나누어 담으려고 합니다. 작은 물통 하나에 3L씩 담으면 39L의 물이 남고, 5L씩 담으면 작은 물통이 2개 남고 마지막 물통에는 2L의 물을 담게 됩니다. 큰 물통의 들이는 몇 L인지 구하시오.

5L씩 물을 넣을 때, 작은 물통이 2개 남고 마지막 물통에는 2L의 물을 담게 되므로 이것은 물이 $5+5+(5-2)=13$(L) 부족하다는 뜻과 같습니다.

답 ____________

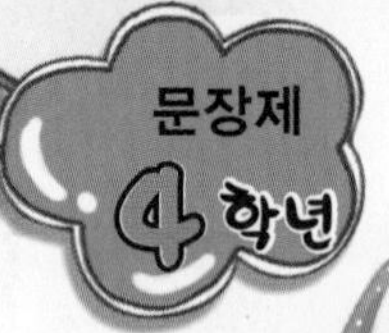

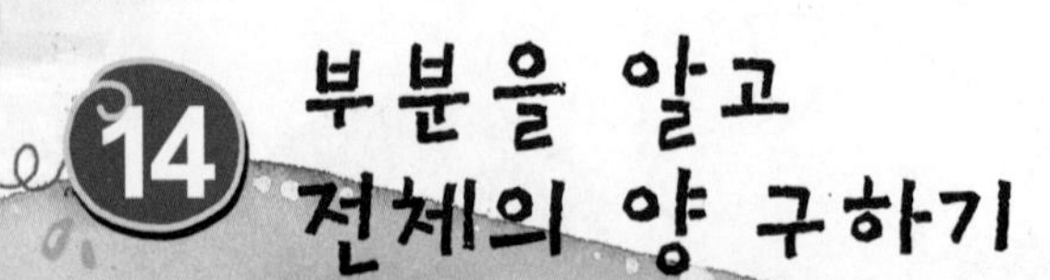

14 부분을 알고 전체의 양 구하기

탐구 문제

율기네 특별 활동 반은 남학생이 18명이고, 이것은 특별 활동 반 전체의 $\frac{2}{3}$에 해당합니다. 율기네 특별 활동 반의 학생 수는 몇 명인지 구하시오.

풀이 그림을 그려 생각해 봅니다.

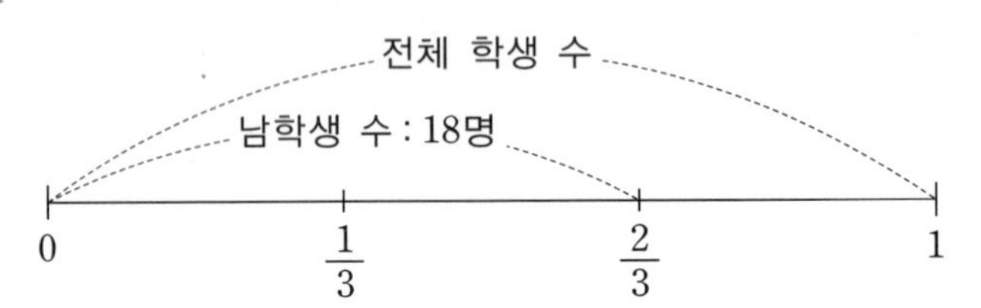

꼼꼼 돌다리

전체의 $\frac{1}{3}$에 해당하는 양을 구한 뒤 3배하여 전체를 구합니다.

전체를 3등분 한 것 중에 2칸이 18명을 뜻하므로 1칸은 $18 \div 2 = 9$(명)입니다.
따라서, 전체는 $9 \times 3 = 27$(명)입니다. 이것을 하나의 식으로 나타내면
$18 \div 2 \times 3 = 27$(명)입니다.

Check Point

어떤 부분을 차지하는 양이 ★만큼이고, 이것이 전체의 $\frac{▲}{■}$를 의미할 때,
전체의 양은 ★÷▲×■ 입니다.

확인 문제

상연이네 반에서 안경을 쓴 학생은 16명이고, 이것은 반 전체 학생 수의 $\frac{4}{7}$에 해당합니다. 상연이네 반의 전체 학생 수를 구하시오.

1 안경을 쓴 학생 수를 오른쪽 그림과 같이 나타내었습니다. □ 안에 알맞은 수를 써 넣으시오.

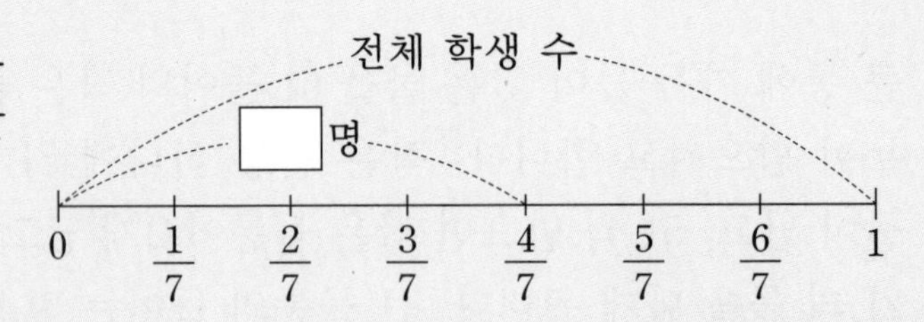

2 전체 학생 수의 $\frac{1}{7}$은 몇 명입니까? (　　　　　　　　)

3 상연이네 반의 전체 학생 수를 구하시오. (　　　　　　　　)

그림에서 안경을 쓴 학생은 전체 7칸 중 4칸에 해당되지요.

생각의 샘

① 병에 들어 있던 물의 $\frac{3}{4}$을 마셨습니다. 마신 물이 300mL이면, 처음 병에 들어 있던 물은 몇 mL인지 구하시오.

> 병에 들어 있던 물의 $\frac{1}{4}$은 $300 \div 3 = 100$(mL)입니다.

풀이

답 ____________

② 상자 안에 공이 들어 있습니다. 그 중 파란색 공은 12개이고, 이것은 전체 공의 $\frac{4}{9}$에 해당합니다. 상자 안에 들어 있는 전체 공의 개수를 구하시오.

> 전체 공의 $\frac{1}{9}$은 $12 \div 4 = 3$(개)입니다.

답 ____________

③ 영수는 가지고 있던 철사의 $\frac{3}{5}$을 잘라서 미술 시간에 사용하였습니다. 사용한 철사의 길이가 1m 50cm이면, 영수가 처음에 가지고 있던 철사의 길이는 몇 cm인지 구하시오.

> 가지고 있던 철사 길이의 $\frac{1}{5}$은?
> ➡ $(150 \div 3)$cm

답 ____________

여학생 수는 전체의 $\left(1-\frac{5}{9}\right)$입니다.

4 한별이네 반 학생 중 남학생 수는 전체의 $\frac{5}{9}$이고, 여학생 수는 16명입니다. 한별이네 반 학생 수는 몇 명인지 구하시오.

답 ______________

5 과일 가게에서 사과를 팔고 있었습니다. 전체 사과 중 $\frac{7}{12}$을 팔고 남은 사과를 세어 보니 105개였습니다. 과일 가게에 있던 사과는 몇 개인지 구하시오.

답 ______________

마신 주스의 양과 마시고 남은 주스의 양을 혼동하여 계산하지 않도록 주의합니다.

6 병에 들어 있던 주스의 $\frac{1}{3}$을 마셨더니 450mL가 남았습니다. 처음 병에 들어 있던 주스는 몇 mL인지 구하시오.

풀이

답 ______________

은메달 따기

1 색종이 한 묶음의 $\frac{2}{7}$는 20장입니다. 똑같은 색종이 세 묶음은 몇 장인지 구하시오.

답 ________________

2 한초가 가지고 있는 딱지 수의 $\frac{5}{12}$는 30장입니다. 한초가 가지고 있는 딱지의 반을 친구에게 준다면, 친구에게 줄 딱지는 몇 장인지 구하시오.

(친구에게 줄 딱지 수)
=(한초가 가지고 있는 전체 딱지 수)÷2

답 ________________

3 웅이가 가지고 있는 사탕의 $\frac{7}{8}$은 21개입니다. 웅이가 가지고 있는 사탕의 $\frac{3}{4}$은 몇 개인지 구하시오.

먼저 웅이가 가지고 있는 사탕 수를 구합니다.

풀이

답 ________________

(먹은 사탕 수)
=(처음 사탕 수)−7

4 동민이는 가지고 있던 사탕의 $\frac{5}{6}$를 먹었습니다. 남아 있는 사탕이 7개라면, 동민이가 먹은 사탕은 몇 개인지 구하시오.

풀이

답 ____________

전체와 부분이 나타내는 크기를 선분으로 그려 봅니다.

5 어떤 수와 어떤 수의 $\frac{1}{6}$과의 합이 140일 때, 어떤 수는 얼마인지 구하시오.

풀이

답 ____________

6 율기와 한솔이가 각각 구슬을 몇 개씩 가지고 있습니다. 율기가 가지고 있는 구슬 수는 한솔이가 가지고 있는 구슬 수의 $\frac{1}{3}$이고, 두 사람이 가지고 있는 구슬 수를 합하면 36개입니다. 한솔이는 구슬을 몇 개 가지고 있는지 구하시오.

풀이

답 ____________

1 ★과 ★의 $\frac{3}{5}$과의 합이 160이고, ◆와 ◆의 $\frac{1}{3}$과의 합이 96일 때, ★과 ◆의 합은 얼마인지 구하시오.

먼저 ★과 ◆에 해당하는 수를 구합니다.

풀이

답 ______________

2 운동장에서 놀고 있는 어린이는 117명입니다. 이 중 남학생 수는 여학생 수의 $\frac{5}{8}$입니다. 잠시 후 23명의 여학생이 교실로 들어 갔다면, 운동장에 남아 있는 여학생은 몇 명인지 구하시오.

(운동장에 남아 있는 여학생 수)
=(운동장에 있는 여학생 수)−23

풀이

답 ______________

3 과일 가게에 사과와 귤이 있습니다. 사과의 개수는 귤의 개수의 $\frac{3}{8}$이고 개수의 차는 115개입니다. 이 과일 가게에 있는 사과와 귤의 개수는 모두 몇 개인지 구하시오.

귤의 개수를 1, 사과의 개수를 $\frac{3}{8}$으로 하여 그림을 그려 생각합니다.

풀이

답 ______________

15 전체를 한쪽으로 가정하여 해결하기

탐구 문제

학과 거북이를 합하여 6마리가 있습니다. 그 다리 수를 세어 보니 모두 16개였다면 학과 거북이는 각각 몇 마리씩 있는지 구하시오.

풀이 우선 6마리 모두 학이라고 가정하면 다리 수는 $2 \times 6 = 12$(개)입니다. 그러나 실제로는 16개이므로 $16 - 12 = 4$(개) 차이가 납니다. 학은 한 마리씩 줄이고 거북이를 한 마리씩 늘일 때마다 다리는 $4 - 2 = 2$(개)씩 늘어나므로, 거북이는 $4 \div 2 = 2$(마리)가 됩니다.

꼼꼼 돌다리

6마리 모두 거북이로 가정하여 식을 세우면 학의 수부터 구해집니다.
$(24 - 16) \div (4 - 2) = 4$

즉, 모두 학이라고 가정할 때,
거북이는 $(16 - 2 \times 6) \div (4 - 2) = 2$(마리)이고, 학은 $6 - 2 = 4$(마리)입니다.

Check Point

한쪽으로 가정한 값과 실제값의 차를 개별의 차로 나누어 다른 쪽을 구합니다.

확인 문제

사자와 공작새를 합하여 8마리가 있습니다. 다리 수를 세어 보니 모두 26개였습니다. 사자는 몇 마리인지 구하시오.

1 8마리 모두 공작새라고 가정하면 다리는 몇 개입니까?

( )

2 가정한 다리 수와 실제 다리 수와의 차는 몇 개입니까?

( )

3 사자는 몇 마리인지 식을 세워 답을 구하시오.

( )

사자를 물어보았으므로, 8마리 모두 공작새로 가정하여 식을 세웁니다.

1 낙타와 타조를 합하여 10마리가 있습니다. 다리 수를 세어 보니 32개였습니다. 낙타는 몇 마리인지 구하시오.

> 낙타의 수를 물어보았으므로 10마리 모두 타조라고 가정해 보세요!

풀이

답 ______________

2 닭과 돼지를 합하여 15마리가 있습니다. 다리 수를 세어 보니 50개였습니다. 돼지는 몇 마리인지 구하시오.

> 15마리 모두 닭으로 가정한 다리 수는?
> ➡ (2×15)개

풀이

답 ______________

3 코끼리와 앵무새를 합하여 13마리가 있습니다. 다리 수를 세어 보니 36개였습니다. 코끼리는 몇 마리인지 구하시오.

답 ______________

18대 모두 오토바이로 가정해서 식을 세우세요!

4 오토바이와 자동차를 합하여 18대가 있습니다. 바퀴의 수가 모두 58개라면 자동차는 몇 대인지 구하시오.

답 ____________

5 세발자전거와 두발자전거를 합하여 25대가 있습니다. 바퀴의 수가 모두 65개라면 두발자전거는 몇 대인지 구하시오.

답 ____________

100원짜리 1개와 50원짜리 1개의 금액의 차는?
➡ (100 - 50)원

6 50원짜리 동전과 100원짜리 동전을 합하여 20개가 있습니다. 동전의 전체 금액이 1400원이라면 50원짜리 동전은 몇 개인지 구하시오.

답 ____________

은메달 따기

1 석기는 200원짜리 연필과 300원짜리 색연필을 합하여 8자루 사고 2100원을 지불하였습니다. 산 연필과 색연필의 수를 각각 구하시오.

> 색연필 1자루와 연필 1자루의 가격의 차는?
> ➡ (300 - 200)원

풀이

답 ______________________

2 1개에 300원인 초콜릿과 500원인 초콜릿을 합하여 12개 사고 4600원을 냈습니다. 각각 몇 개씩 샀는지 구하시오.

> 초콜릿 1개끼리의 가격의 차는?
> ➡ (500 - 300)원

답 ______________________

3 코끼리와 독수리를 합하여 30마리가 있습니다. 다리의 수가 모두 96개라면, 어느 동물이 몇 마리 더 많은지 구하시오.

> 어느 한쪽으로 가정하여 식을 세웁니다.

답 ______________________

24마리 모두 염소로 가정하여 식을 세우면 오리의 수를 알 수 있고, 24마리 모두 오리로 가정하여 식을 세우면 염소의 수를 알 수 있지요.

4 염소와 오리를 합하여 24마리가 있습니다. 다리의 수가 모두 76개라면, 염소와 오리의 수의 차는 몇 마리인지 구하시오.

답 ____________

8개씩 담은 1봉지와 5개씩 담은 1봉지의 귤 수의 차는?
➡ (8 − 5)개

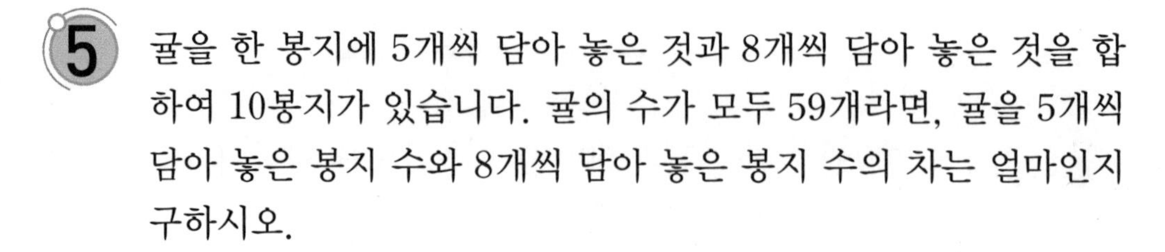

5 귤을 한 봉지에 5개씩 담아 놓은 것과 8개씩 담아 놓은 것을 합하여 10봉지가 있습니다. 귤의 수가 모두 59개라면, 귤을 5개씩 담아 놓은 봉지 수와 8개씩 담아 놓은 봉지 수의 차는 얼마인지 구하시오.

답 ____________

사과 1개의 값은?
➡ (900÷3)원
배 1개와 사과 1개의 가격의 차는?
➡ (500 − 300)원

6 3개에 900원인 사과와 1개에 500원인 배를 합하여 20개 사고 8200원을 지불하였습니다. 각각 몇 개씩 샀는지 구하시오.

답 ____________

1 예슬이는 5000원을 가지고 문방구점에 가서 250원짜리 연필과 300원짜리 색연필을 합하여 15자루 사고 거스름돈으로 800원을 받았습니다. 예슬이가 산 색연필은 몇 자루인지 구하시오.

(연필과 색연필을 사는 데 든 돈) = 5000 − (거스름돈)

답 ____________

2 한별이는 120원짜리 물건과 150원짜리 물건을 합하여 35개 사고 4890원을 지불하였습니다. 120원짜리 물건을 사는데 든 돈은 얼마인지 구하시오.

(120원짜리 물건을 사는데 든 돈) = 120×(120원짜리 물건의 개수)

답 ____________

3 1kg에 800원씩 하는 감자와 1kg에 950원씩 하는 고구마를 합하여 12kg을 사고 10800원을 지불하였습니다. 고구마를 사는데 든 돈은 얼마인지 구하시오.

고구마의 무게를 먼저 구해야 합니다.

답 ____________

총괄 평가 1회

1 한 상자에 27개씩 들어 있는 배가 32상자 있습니다. 배는 모두 몇 개인지 구하시오.

풀이

답 ______________

2 지혜는 자두맛 사탕 14개와 딸기맛 사탕 19개를 가지고 있고, 규형이는 지혜가 가진 사탕의 3배보다 9개 더 적게 가지고 있습니다. 규형이가 가지고 있는 사탕을 한 사람에게 6개씩 나누어 준다면 몇 명에게 줄 수 있는지 구하시오.

풀이

답 ______________

3 길이가 30cm인 리본을 잘라서 두 리본 조각을 대어 보았더니, 한쪽이 다른 한쪽보다 6cm 더 짧았습니다. 잘라진 두 리본 중 짧은 리본의 길이는 몇 cm인지 구하시오.

풀이

답 ______________

4 한초네 학교 축구팀은 작년에 시합을 32번 했는데, 이긴 횟수가 진 횟수보다 4번 더 많았다고 합니다. 한초네 학교 축구팀은 작년에 시합에서 몇 번 이겼는지 구하시오. (단, 비긴 경우는 없습니다.)

풀이

답 ______________

5 수조에 물이 들어 있었습니다. 1500mL들이 양동이에 물을 가득 담아 1번 퍼내고, 3500mL들이 물통에 물을 가득 담아 1번 부었더니 수조의 물이 5L가 되었습니다. 처음 수조에 들어 있던 물은 몇 L인지 구하시오.

풀이

답 ________________

6 규형이는 엘리베이터를 탔습니다. 몇 층인가에서 출발하여 위로 5층, 아래로 4층 움직인 후, 다시 위로 7층 움직였더니 12층이었습니다. 규형이가 처음에 엘리베이터를 몇 층에서 탔는지 구하시오.

풀이

답 ________________

7 통조림 5개를 넣은 상자의 무게는 5kg 800g이고, 같은 통조림 4개를 넣은 상자의 무게는 4kg 800g입니다. 빈 상자 1개의 무게는 몇 g인지 구하시오.

풀이

답 ________________

8 몇 개의 바둑돌을 빈틈없이 늘어놓아 정사각형을 만들었습니다. 둘레에 놓인 바둑돌의 개수가 144개일 때, 가장 바깥쪽의 한 변에 놓인 바둑돌은 몇 개인지 구하시오.

풀이

답 ________________

총괄 평가 1회

9 어떤 호수의 둘레에 일정한 간격으로 기둥을 42개 세웠습니다. 이 호수의 둘레가 966m라면, 기둥을 몇 m 간격으로 세운 것인지 구하시오.

답 ______________

10 길이가 646m 되는 길의 양쪽에 38m 간격으로 나무를 심으려고 합니다. 길의 처음과 끝에도 나무를 심는다고 할 때, 나무는 몇 그루가 필요한지 구하시오.

답 ______________

11 다음과 같이 수를 규칙적으로 늘어놓았습니다. 573째 번에 올 수는 무엇인지 구하시오.

1, 7, 7, 5, 3, 0, 4, 1, 7, 7, 5, 3, 0, 4, 1, 7, 7, 5, 3, …

답 ______________

12 다음과 같이 도형을 규칙적으로 늘어놓았습니다. 410개를 늘어놓았을 때, ◈는 모두 몇 개 있는지 구하시오.

▣⊙◈⊙◈◈▣⊙◈⊙◈◈▣⊙…

답 ______________

13 한솔이는 자전거를 타고 5분 동안 1km 200m를 달렸습니다. 1분당 평균 몇 m를 달린 셈인지 구하시오.

풀이

답 ____________

14 석기, 영수, 지혜의 몸무게의 평균은 38kg이고, 한초, 상연이의 몸무게의 평균은 43kg입니다. 5명의 몸무게의 평균을 구하시오.

풀이

답 ____________

15 올해 할머니의 연세는 59세이고, 웅이의 나이는 11살입니다. 할머니의 연세가 웅이의 나이의 4배가 되는 것은 올해부터 몇 년 후인지 구하시오.

풀이

답 ____________

16 올해 한별이의 나이는 10살이고, 아버지의 연세는 42세입니다. 아버지의 연세가 한별이의 나이의 5배가 되었던 때는 지금부터 몇 년 전인지 구하시오.

풀이

답 ____________

17 상자 가와 나에 귤이 각각 90개, 69개 들어 있었습니다. 상자 나에서 가로 귤을 몇 개 옮겨 넣었더니 상자 가의 귤이 상자 나의 귤의 2배가 되었습니다. 상자 나에서 상자 가로 귤을 몇 개 옮겨 넣었는지 구하시오.

풀이

답 ________________

18 길이가 140m인 열차가 1초에 20m의 빠르기로 달리고 있습니다. 이 열차가 길이 400m의 터널을 완전히 통과하는 데 걸리는 시간은 몇 초인지 구하시오.

풀이

답 ________________

19 밤을 한 사람에게 4개씩 나누어 주면 8개가 남고, 2개씩 더 나누어 주면 14개가 부족하다고 합니다. 밤은 몇 개인지 구하시오.

풀이

답 ________________

20 세발자전거와 두발자전거를 합하여 30대가 있습니다. 바퀴의 수가 72개라면 두발자전거는 몇 대인지 구하시오.

풀이

답 ________________

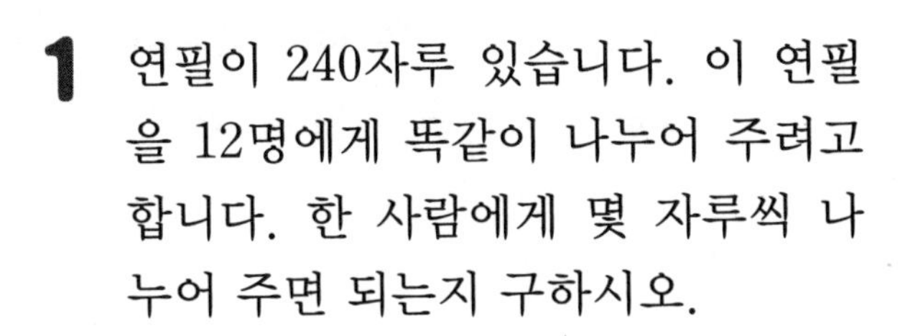

총괄 평가 2회

1 연필이 240자루 있습니다. 이 연필을 12명에게 똑같이 나누어 주려고 합니다. 한 사람에게 몇 자루씩 나누어 주면 되는지 구하시오.

풀이

답 ____________

2 6개에 1500원 하는 토마토 5개와 1개에 330원 하는 키위 5개를 샀습니다. 토마토 5개와 키위 5개의 값은 모두 얼마인지 구하시오.

풀이

답 ____________

3 보트 한 척을 빌려 타는 데 10분당 2700원씩 합니다. 보트 5척을 15명이 1시간 20분 동안 빌려 탔습니다. 15사람이 똑같이 돈을 낸다면 한 사람이 얼마씩 내야 하는지 구하시오.

풀이

답 ____________

4 수박 1통과 멜론 1통의 무게의 합은 4.3kg입니다. 수박 1통의 무게가 멜론 1통의 무게보다 300g 더 무겁다면, 멜론 1통의 무게는 몇 kg인지 구하시오.

풀이

답 ____________

총괄 평가 2회

5 영수는 공책에 선분을 그은 다음 0.9cm를 지우고, 다시 1.6cm의 선분을 겹치지 않게 이어서 그었더니 선분의 길이가 3.7cm가 되었습니다. 영수가 처음에 공책에 그은 선분은 몇 cm인지 구하시오.

답 ________________

6 어느 과일 가게에서 귤 5개와 감 3개의 값은 1900원이고, 같은 귤 4개와 감 3개의 값은 1700원입니다. 귤 1개의 값을 구하시오.

답 ________________

7 샤프 3개와 샤프심 4통의 가격은 2700원이고, 같은 샤프 2개와 샤프심 4통의 가격은 2200원입니다. 샤프심 4통의 가격은 얼마인지 구하시오.

답 ________________

8 정사각형 모양의 카드를 가로와 세로에 각각 35장씩 빈틈없이 늘어놓아 정사각형을 만들었습니다. 둘레에 놓인 카드는 몇 장인지 구하시오.

답 ________________

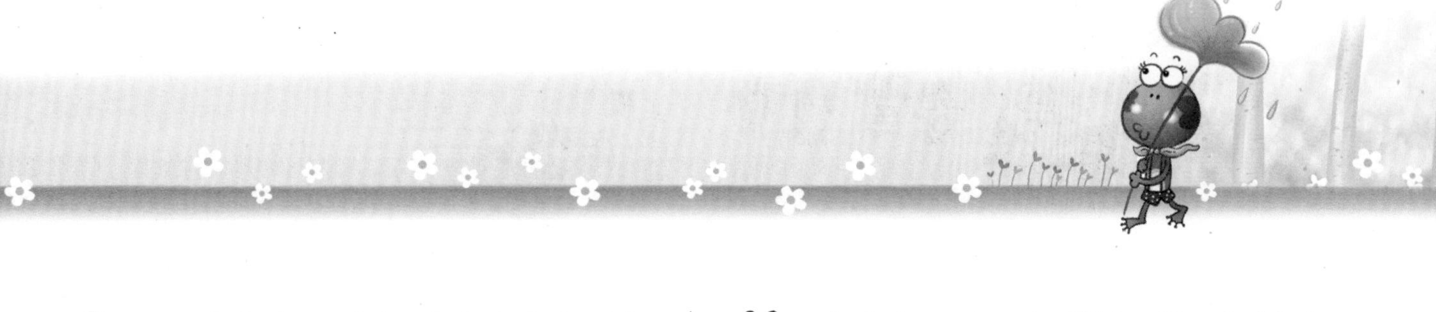

9 100원짜리 동전을 빈틈없이 늘어놓아 정사각형을 만들었습니다. 둘레에 놓인 동전의 금액의 합이 6400원일 때, 동전 전체는 모두 몇 개인지 구하시오.

답 ______________

10 어느 도로의 양쪽에 가로수가 37m 간격으로 심어져 있습니다. 도로의 양쪽에 심어진 가로수는 모두 140그루이고, 도로의 처음과 끝에도 가로수가 심어져 있을 때, 이 도로의 길이는 몇 m인지 구하시오.

답 ______________

11 길이가 754m인 산책로를 따라 잣나무를 처음부터 29m 간격으로 심으려고 합니다. 산책로의 처음과 끝에는 잣나무를 심지 않고, 잣나무 한 그루의 값이 9000원일 때, 필요한 잣나무를 사는 데 드는 비용은 얼마인지 구하시오.

풀이

답 ______________

12 어느 해의 5월 12일은 일요일입니다. 이 해의 7월 첫째 주 수요일의 날짜와 다섯째 주 수요일의 날짜의 합은 얼마인지 구하시오.

답 ______________

13 규형이는 피아노를 하루 평균 30분씩 연습한다고 합니다. 규형이가 2주일 동안 피아노를 연습한 시간은 몇 시간인지 구하시오.

답 ____________________

14 올해 삼촌과 상연이의 나이의 차는 20살이고, 삼촌의 연세는 상연이의 나이의 3배입니다. 올해 삼촌의 연세를 구하시오.

답 ____________________

15 물병 가와 나에 각각 500mL, 950mL의 물이 들어 있었습니다. 나에서 가로 물을 옮겨 넣었더니 두 물병에 들어 있는 물의 양이 같아졌습니다. 물병 나에서 가로 몇 mL를 옮겨 넣은 것인지 구하시오.

답 ____________________

16 창고 가에는 벽돌이 300장, 나에는 벽돌이 620장 있었습니다. 나에서 가로 한 번에 40장씩 몇 번을 옮겼더니 두 창고의 벽돌의 개수가 같아졌습니다. 옮긴지 몇 번 만에 두 창고의 벽돌의 개수가 같아졌는지 구하시오.

답 ____________________

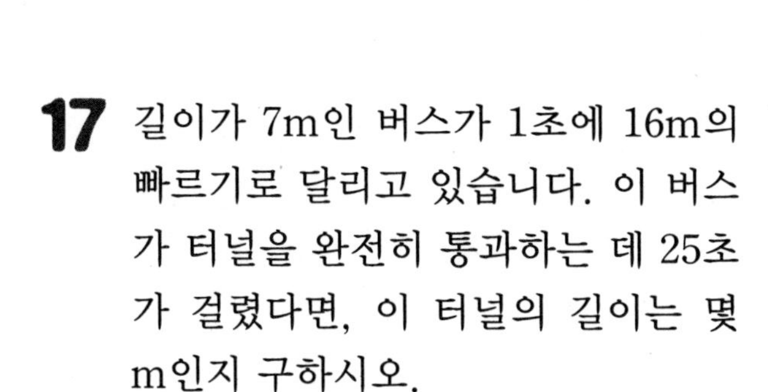

17 길이가 7m인 버스가 1초에 16m의 빠르기로 달리고 있습니다. 이 버스가 터널을 완전히 통과하는 데 25초가 걸렸다면, 이 터널의 길이는 몇 m인지 구하시오.

풀이

답 ________________

18 케이크 몇 조각을 학생들에게 나누어 주려고 합니다. 한 사람당 2조각씩 주면 7조각이 남고, 6조각씩 주면 9조각이 부족하다고 합니다. 케이크는 몇 조각이 있는지 구하시오.

풀이

답 ________________

19 웅이가 가지고 있는 사탕의 $\frac{5}{8}$는 20개입니다. 웅이가 가지고 있는 사탕의 $\frac{1}{2}$은 몇 개인지 구하시오.

풀이

답 ________________

20 염소와 오리를 합하여 22마리가 있습니다. 다리의 수가 모두 60개라면, 염소와 오리의 수의 차는 몇 마리인지 구하시오.

풀이

답 ________________

Memo

꼭 알아야 할
수학 문장제
!

(주)에듀왕
4학년이 꼭 알아야 할
나만의 비밀 요점 수첩!
너한테만 살짝 보여 줄게!
수학 문장제
www.eduwang.com
정답과 풀이
!

정답과 풀이

4학년

1 곱셈식과 나눗셈식 세워 해결하기

확인문제 p.4

1 41개　　2 240분

3 $41 \times 240 = 9840$, 9840개

2 1시간은 60분이므로 4시간은 $60 \times 4 = 240$(분) 입니다.

3 1분에 41개를 끼울 수 있고, 4시간(=240분) 동안 하면 $41 \times 240 = 9840$(개) 끼울 수 있습니다.

동메달 따기 p. 5 ~ 6

1 768개　　2 27375L

3 10배　　4 24자루

5 17일, 5쪽　　6 70

1 48씩 16묶음이라고 생각하면 $48 \times 16 = 768$이므로 귤은 모두 768개입니다.

2 1년은 365일이고, 매일 75L씩 생산하므로 1년 동안 $75 \times 365 = 27375$(L) 생산하게 됩니다.

3 ㉮$\times 30 =$ ㉯$\times 300$이고, $300 \div 30 = 10$이므로 ㉮=㉯$\times 10$
따라서, ㉮는 ㉯의 10배입니다.

4 720을 30묶음으로 나누면 $720 \div 30 = 24$이므로 한 사람에게 24자루씩 나누어 주면 됩니다.

5 $328 \div 19 = 17 \cdots 5$이므로 몫은 17이고, 나머지는 5입니다. 따라서, 매일 19쪽씩 17일 동안 읽고, 남은 5쪽을 마지막 날에 읽게 됩니다.

6 (어떤 수)$\times 400 = 28000$에서
(어떤 수)$= 28000 \div 400 = 70$입니다.

은메달 따기 p. 7 ~ 8

1 19980　　2 7개

3 378000원　　4 20090

5 9개　　6 6개

1 세 자리 수 중 가장 큰 수는 999이므로 $999 \times 20 = 19980$입니다.

별해

$1000 \times 20 - 20 = 19980$

2 4m 32cm=432cm입니다.
$432 \div 55 = 7 \cdots 47$이므로 만들 수 있는 리본은 7개입니다.

3 (달걀을 판 금액)$= 280 \times 15 \times 90 = 378000$(원)

4 만들 수 있는 가장 작은 세 자리 수는 205이고, 가장 큰 두 자리 수는 98입니다.
따라서, 두 수의 곱은 $205 \times 98 = 20090$입니다.

5 장미는 모두 $36 \times 5 = 180$(송이) 있으므로 꽃병은 $180 \div 20 = 9$(개)가 필요합니다.

6 8□8은 $77 \times 11 = 847$보다 크고, $77 \times 12 = 924$보다 작아야 합니다.
따라서, □ 안에 들어갈 수 있는 숫자는 4, 5, 6, 7, 8, 9이므로 모두 6개입니다.

금메달 따기 p. 9

1 105000원　　2 145상자, 40개

3 910

1 $684 \div 32 = 21 \cdots 12$이므로 팔 수 있는 상자는 21상자입니다.
따라서, 오이를 판 돈은
$21 \times 5000 = 105000$(원)입니다.

2 6일 동안 만들 수 있는 모자는 모두 $135 \times 9 \times 6 = 7290$(개)입니다.
한 상자에 50개씩 담으면 $7290 \div 50 = 145 \cdots 40$이므로 145상자에 담을 수 있고, 모자 40개가 남습니다.

3 세 자리 수 중 80으로 나누었을 때 몫이 두 자리 수이고 나머지가 30인 수는 $80 \times 10 + 30 = 830$
또는 $80 \times 11 + 30 = 910$
또는 $80 \times 12 + 30 = 990$ 중의 하나입니다.
이 중 각 자리의 숫자의 합이 10인 경우는 $9 + 1 + 0 = 10$이므로 구하는 수는 910입니다.

2 혼합 계산식 세워 해결하기

확인문제 p. 10

1 $160\times6=960$, 960원
2 $250\times9=2250$, 2250원
3 $5000-160\times6-250\times9=1790$, 1790원

1 연필 6자루의 값은 $160\times6=960$(원)입니다.

3 (거스름돈)
$=5000-$연필 6자루의 값$-$공책 9권의 값
$=5000-160\times6-250\times9$
$=1790$(원)

동메달 따기 p. 11 ~ 12

1 2000원 2 128장
3 45개 4 4시간
5 3010원 6 5612kg

1 2000원에서 필통 한 개를 사고 남은 돈은
$2000-950=1050$(원)이고,
1500원에서 공책 한 권을 사고 남은 돈은
$1500-550=950$(원)입니다.
따라서, 남은 돈은
$(2000-950)+(1500-550)=2000$(원)입니다.
별해
$2000+1500-950-550=2000$(원)

2 동민이가 가지고 있는 색종이는
$41+33=74$(장)이므로
예슬이가 가지고 있는 색종이는 모두
$(41+33)\times2-20=128$(장)입니다.

3 방울토마토는 모두 $120\times3=360$(개)이고, 이를 8가족이 똑같이 나누어 가지면 한 가족이 갖는 방울토마토는 $120\times3\div8=45$(개)입니다.

4 6명이 한 시간 동안 접는 종이학의 수는
$15\times6=90$(마리)이므로
$360\div(15\times6)=360\div90=4$(시간)이 걸립니다.

5 사과 5개의 값은 $1400\div4\times5=1750$(원)이고,
귤 7개의 값은 $180\times7=1260$(원)입니다.
따라서, 사과 5개와 귤 7개의 값은 모두
$1400\div4\times5+180\times7=1750+1260=3010$(원)입니다.

6 하루에 생산하는 상추는 $368\div4=92$(kg)이고,
3월과 4월은 모두 $31+30=61$(일)이므로
3월, 4월 두 달 동안 생산하는 상추는
$(368\div4)\times(31+30)=5612$(kg)입니다.

은메달 따기 p. 13 ~ 14

1 11살 2 12쪽
3 7500원 4 46
5 6200원 6 1249가구

1 할아버지의 연세는 아버지의 연세의 2배이므로
아버지의 연세는 $78\div2=39$(세)입니다.
아버지의 연세는 내 나이의 4배보다 5살 더 적으므로 내 나이의 4배는 아버지의 연세보다 5살 더 많습니다.
따라서, 내 나이는 (아버지의 연세$+5$)$\div4$이므로 $(78\div2+5)\div4=11$(살)입니다.

2 동화책은 모두 $156+128=284$(쪽)이고, 32쪽을 뺀 나머지는 3주 동안 매일 같은 쪽수씩 읽은 것입니다.
따라서, 나머지는 하루에
$\{(156+128)-32\}\div(3\times7)=12$(쪽)씩 읽었습니다.

3 1시간 30분(=90분) 동안 보트 4척을 빌리는 데 드는 돈은 $2500\times9\times4=90000$(원)입니다. 이 돈을 12사람이 똑같이 돈을 내면 한 사람이 내는 돈은 $90000\div12=7500$(원)입니다.
이를 하나의 식으로 나타내면
$2500\times9\times4\div12=7500$(원)입니다.

4 (어떤 수)$\div49=18\cdots22$이므로 어떤 수는
$49\times18+22=904$입니다.

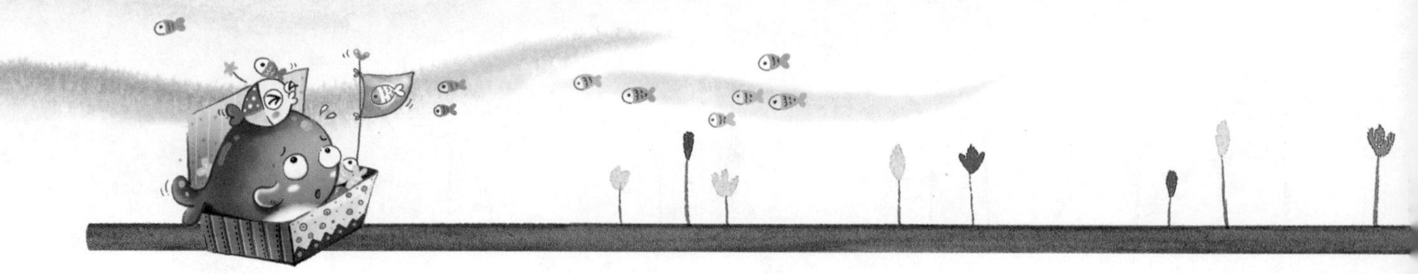

904÷27=33⋯13
따라서, 몫과 나머지의 합은 33+13=46입니다.

5 650원짜리 과일 8개의 값은
650×8=5200(원)이므로
과일을 사고 남은 돈은
8000−5200=2800(원)입니다.
과일을 사고 남은 돈과 아버지께서 주신 돈의 합은 동화책 두 권의 값 4500×2=9000(원)과 같으므로 아버지께서 주신 돈은
9000−2800=6200(원)입니다.

6 아파트 단지에 들어올 수 있는 총 가구 수는
(12×7+15×5)×8=1272(가구)이고, 이 중 비어 있는 가구 수는 14+9=23(가구)이므로 현재 예슬이네 아파트 단지에 살고 있는 가구 수는 1272−23=1249(가구)입니다.
이를 하나의 식으로 나타내면
(12×7+15×5)×8−(14+9)=1249(가구)
입니다.

금메달 따기 p. 15

1 91개	2 80분
3 10, 25, 50	

1 4명에게 줄 사탕은 참석한 9명에게 2개씩 주고 10개가 남은 것이므로
9×2+10=28(개)입니다.
따라서, 1명에게 나누어 주려고 한 사탕은
28÷4=7(개)이므로 준비한 사탕은 모두
13×7=91(개)입니다.

2 고속버스가 1분간 가는 거리는
93000÷60=1550(m)이고
트럭이 1분간 가는 거리는
75000÷60=1250(m)입니다.
고속버스와 트럭이 달린 거리의 합은
432−208=224(km)=224000(m)이므로
달린 시간은
224000÷(1550+1250)=80(분)입니다.

3 54=■×▲+●, 105=■×★+◆일 때,
★=▲×2, ●+◆=9이므로
그림을 그려보면 다음과 같습니다.

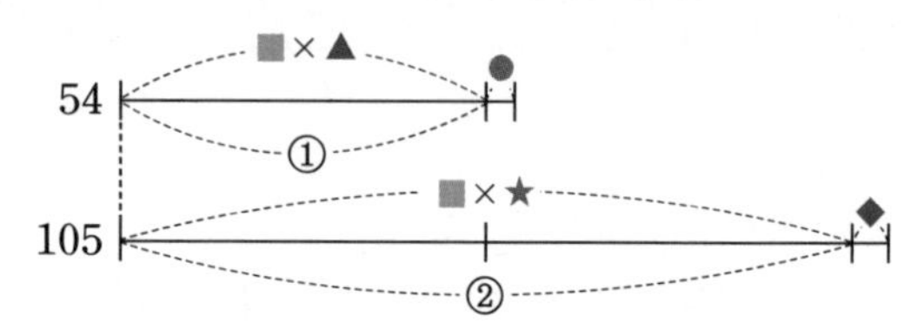

①=(54+105−9)÷3=50입니다.
따라서, ■×▲=50이므로 50을 어떤 수로 나누었을 때 나누어떨어지는 수 1, 2, 5, 10, 25, 50 중 10, 25, 50이 조건에 맞습니다.

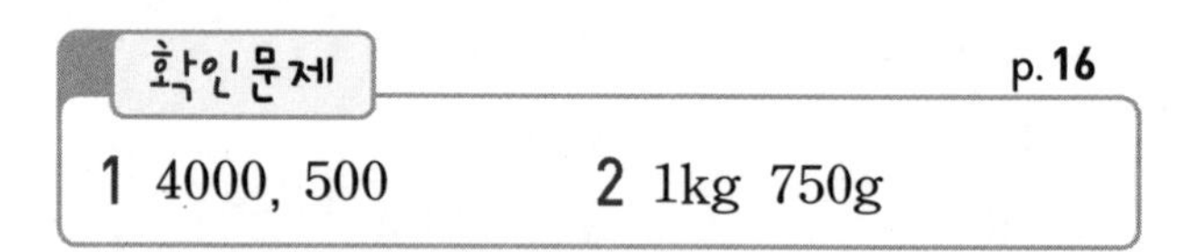

3 합과 차를 이용하여 해결하기

확인문제 p.16

1 4000, 500	2 1kg 750g

2 (4000−500)÷2=1750(g) ➡ 1kg 750g

동메달 따기 p. 17 ~ 18

1 68개	2 10cm
3 35kg	4 85cm
5 15번	6 400mL, 600mL

1 상연이와 웅이가 가진 구슬의 수를 각각 선분으로 나타내어 보면

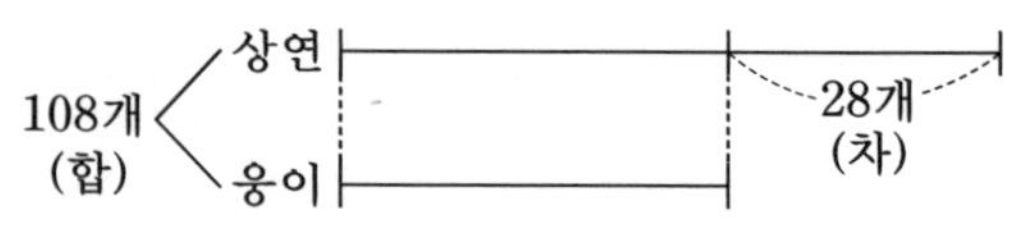

따라서, 상연이가 가진 구슬은
(108+28)÷2=68(개)입니다.

2 두 리본의 길이를 각각 선분으로 나타내어 보면

따라서, 짧은 리본의 길이는
$(25-5)\div2=10$(cm)입니다.

3 한별이와 석기의 몸무게를 각각 선분으로 나타내어 보면

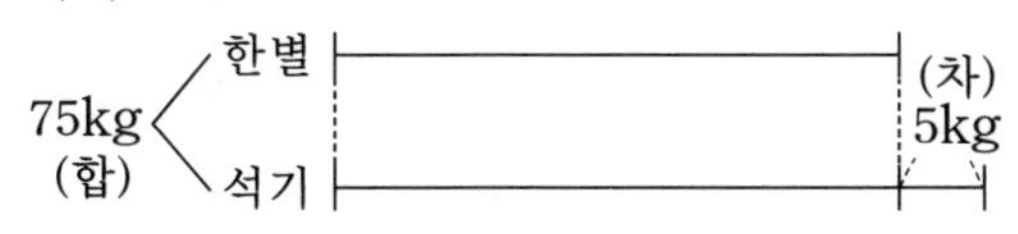

따라서, 한별이의 몸무게는
$(75-5)\div2=35$(kg)입니다.

4 율기가 사용한 철사와 사용하고 남은 철사의 길이를 각각 선분으로 나타내어 보면

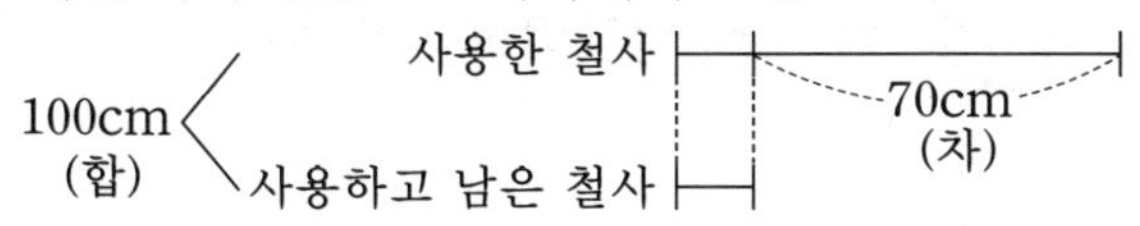

따라서, 율기가 사용한 철사의 길이는
$(100+70)\div2=85$(cm)입니다.

5 한초네 학교 축구 팀이 이긴 횟수와 진 횟수를 각각 선분으로 나타내어 보면

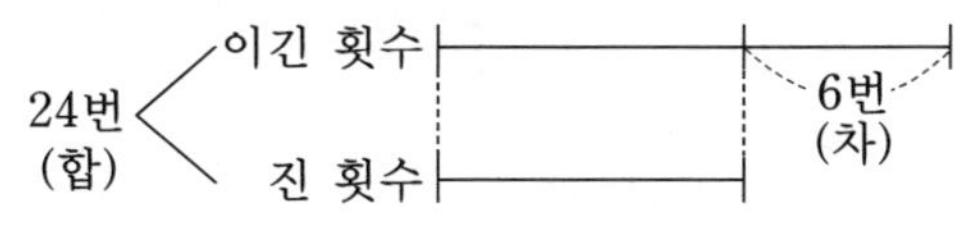

따라서, 작년에 한초네 학교 축구 팀이 이긴 횟수는 $(24+6)\div2=15$(번)입니다.

6 두 컵에 담는 물의 양을 각각 선분으로 나타내어 보면

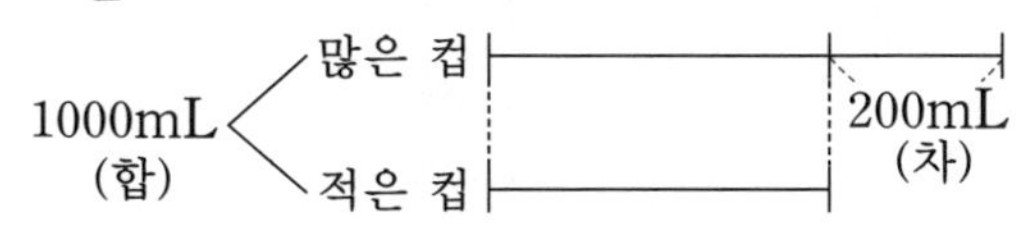

따라서, 물을 적게 담는 쪽의 컵에는
$(1000-200)\div2=400$(mL)를 담고, 많이 담는 쪽의 컵에는 $1000-400=600$(mL)의 물을 담아야 합니다.

은메달 따기 p. 19 ~ 20

1 한별 : 2m, 형 : $2\frac{1}{4}$m
2 570m
3 1kg
4 4kg
5 13번
6 47장

1 한별이가 가진 리본과 형이 가진 리본을 각각 선분으로 나타내어 보면

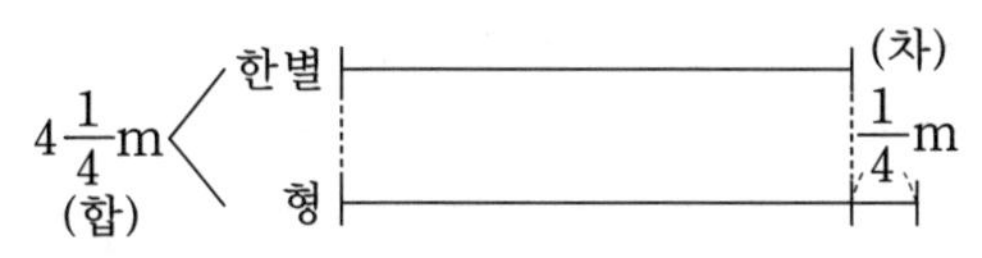

따라서, 한별이가 가진 리본은
$\left(4\frac{1}{4}-\frac{1}{4}\right)\div2=2$(m)이고,
형이 가진 리본은 $4\frac{1}{4}-2=2\frac{1}{4}$(m)입니다.

2 가영이네 집에서 우체국까지의 거리와 우체국에서 학교까지의 거리를 각각 선분으로 나타내어 보면

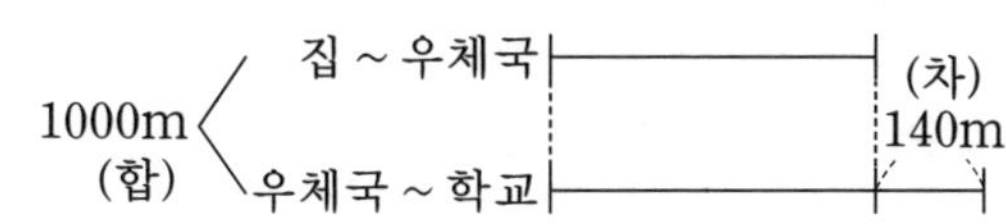

따라서, 우체국에서 학교까지의 거리는
$(1000+140)\div2=570$(m)입니다.

3 호박 1통의 무게와 멜론 1통의 무게를 각각 선분으로 나타내어 보면

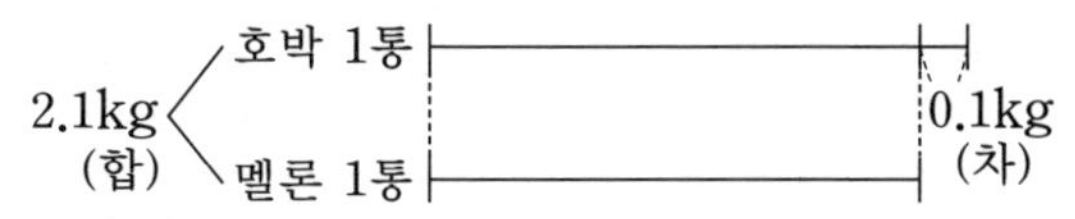

따라서, 멜론 1통의 무게는
$(2.1-0.1)\div2=1$(kg)입니다.

4 수박밭에 뿌린 비료와 참외밭에 뿌린 비료를 각각 선분으로 나타내어 보면

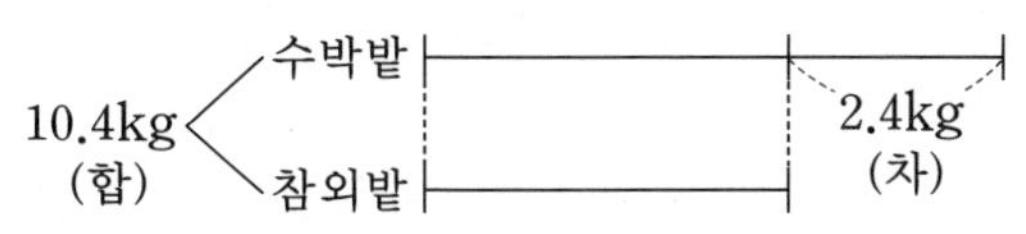

따라서, 참외밭에 뿌린 비료의 무게는
$(10.4-2.4)\div2=4$(kg)입니다.

5 2번 비겼으므로 주사위 놀이를 20번 한 것으로 생각하고, 동민이와 지혜가 이긴 횟수를 각각 선분으로 나타내어 보면

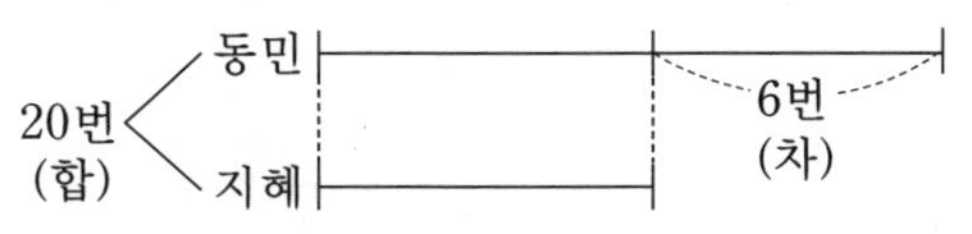

따라서, 동민이가 이긴 횟수는
$(20+6)\div2=13$(번)입니다.

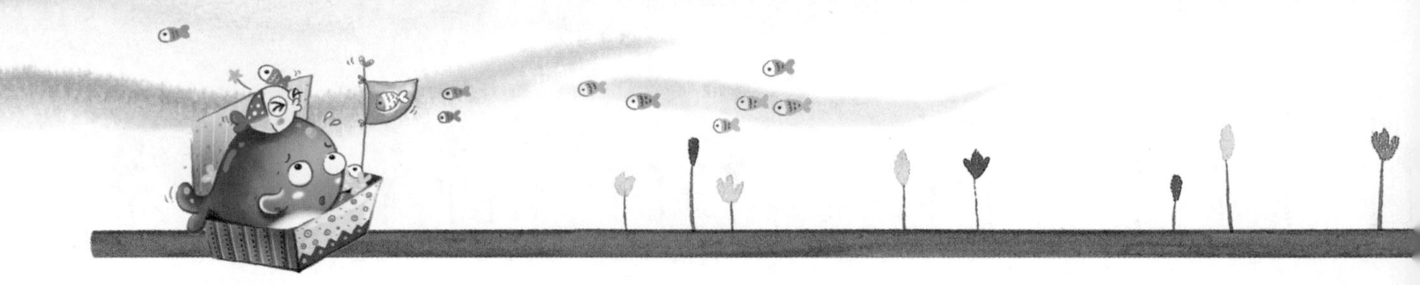

6 한솔이가 동민이와 규형이에게 준 우표의 수의 합은 280－198＝82(장)입니다. 동민이에게 준 우표의 수와 규형이에게 준 우표의 수를 각각 선분으로 나타내어 보면

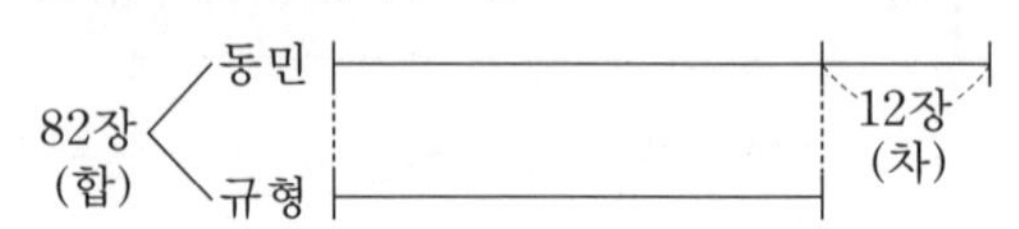

따라서, 한솔이가 동민이에게 준 우표는
(82＋12)÷2＝47(장)입니다.

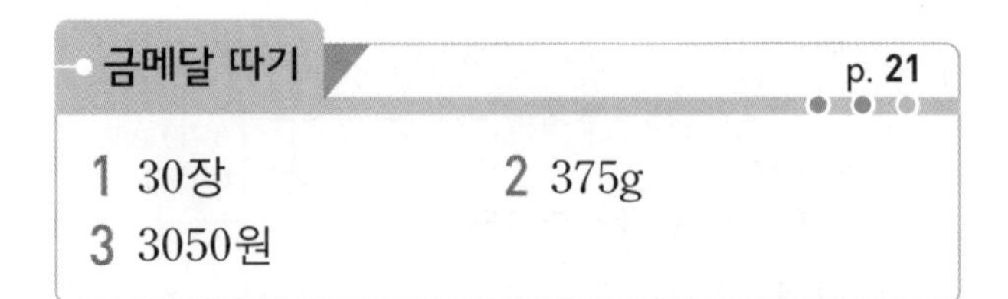
금메달 따기
p. 21

1 30장 2 375g
3 3050원

1 선생님께서 석기, 한초, 영수에게 나누어 주신 스티커는 100－10＝90(장)입니다. 이 중 한초와 영수가 받은 스티커는 90－20＝70(장)이고, 한초가 받은 스티커의 수와 영수가 받은 스티커의 수를 각각 선분으로 나타내어 보면

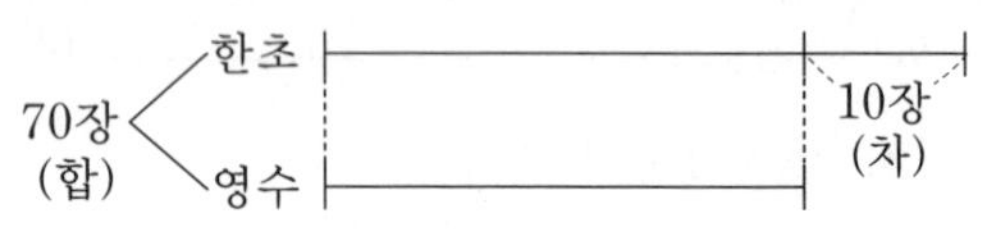

따라서, 영수가 선생님께 받은 스티커는
(70－10)÷2＝30(장)입니다.

2 자두 1개와 복숭아 1개의 무게의 합은
800－250＝550(g)입니다.
자두 1개와 복숭아 1개의 무게를 각각 선분으로 나타내어 보면

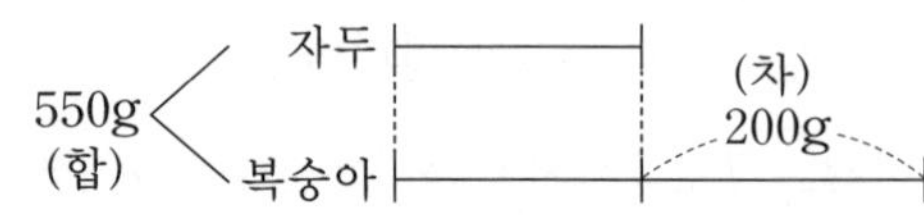

따라서, 복숭아 1개의 무게는
(550＋200)÷2＝375(g)입니다.

3 저금통에 들어 있는 10원짜리와 50원짜리 동전의 수의 합은 50－15＝35(개)입니다. 10원짜리 동전의 수와 50원짜리 동전의 수를 각각 선분으로 나타내어 보면

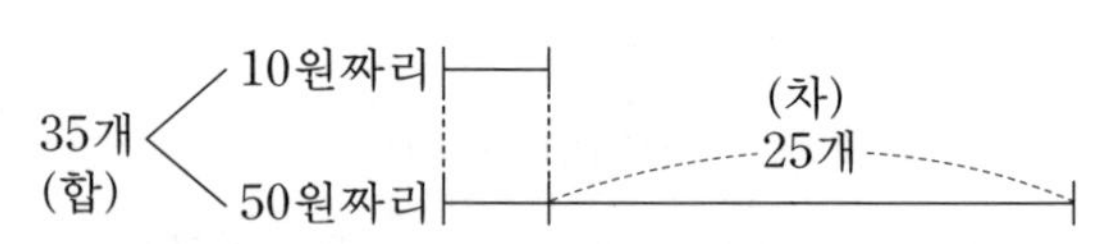

10원짜리 동전은 (35－25)÷2＝5(개)이고,
50원짜리 동전은 35－5＝30(개)입니다.
따라서, 저금통에 들어 있는 돈은 모두
10×5＋50×30＋100×15＝3050(원)입니다.

4 거꾸로 생각하여 해결하기

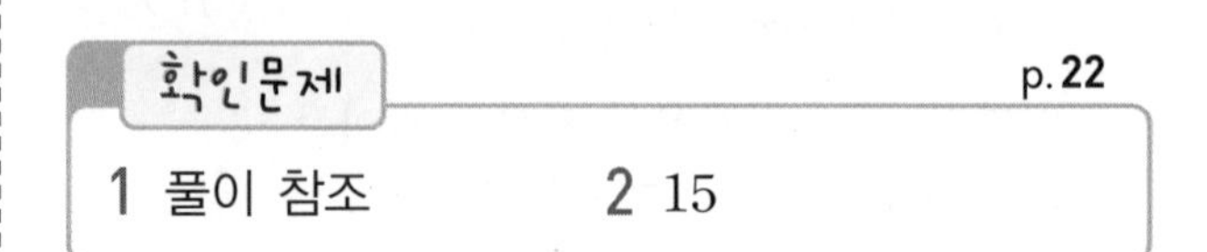
확인문제
p. 22

1 풀이 참조 2 15

1 15 →×8→ 120 →＋4→ 124 →÷31→ 4
(거꾸로: 4 →×31→ 124 →－4→ 120 →÷8→ 15)

2 (4×31－4)÷8＝15

동메달 따기
p. 23 ~ 24

1 4500원 2 1L
3 5L 4 3층
5 72 6 25

1 문제를 그림으로 나타내면

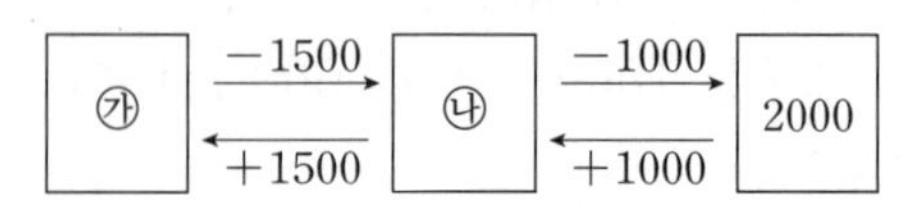

㉯에 들어갈 수는 2000＋1000＝3000,
㉮에 들어갈 수는 3000＋1500＝4500입니다.
따라서, 영수가 처음에 가지고 있던 돈은 4500원입니다.

2 문제를 그림으로 나타내면

㉮ →－200→ ㉯ →－150→ 650
(거꾸로: 650 →＋150→ ㉯ →＋200→ ㉮)

㉯에 들어갈 수는 $650+150=800$, ㉮에 들어갈 수는 $800+200=1000$입니다.
따라서, 처음 냉장고에 있던 우유는
1000mL ➡ 1L입니다.

3 문제를 그림으로 나타내면

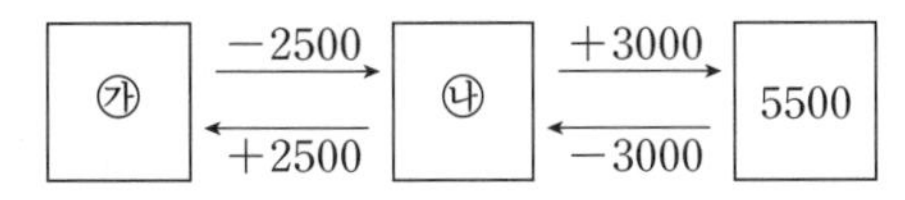

㉯에 들어갈 수는 $5500-3000=2500$,
㉮에 들어갈 수는 $2500+2500=5000$입니다.
따라서, 처음 수조에 들어 있던 물은
5000mL ➡ 5L입니다.

4 문제를 그림으로 나타내면

㉮ (+5 → / ← −5) ㉯ (−2 → / ← +2) ㉰ (+4 → / ← −4) 10

㉰에 들어갈 수는 $10-4=6$, ㉯에 들어갈 수는 $6+2=8$, ㉮에 들어갈 수는 $8-5=3$입니다.
따라서, 처음에 규형이는 엘리베이터를 3층에서 탔습니다.

5 문제를 그림으로 나타내면

㉮ (÷9 → / ← ×9) ㉯ (×5 → / ← ÷5) ㉰ (+127 → / ← −127) 167

㉰에 들어갈 수는 $167-127=40$, ㉯에 들어갈 수는 $40\div5=8$, ㉮에 들어갈 수는 $8\times9=72$입니다. 따라서, 어떤 수는 72입니다.

6 문제를 그림으로 나타내면

㉮ (−24 → / ← +24) ㉯ (×15 → / ← ÷15) ㉰ (÷5 → / ← ×5) 183

㉰에 들어갈 수는 $183\times5=915$, ㉯에 들어갈 수는 $915\div15=61$, ㉮에 들어갈 수는 $61+24=85$입니다. 따라서, 어떤 수는 85이므로 60을 빼면 $85-60=25$입니다.

은메달 따기

p. 25 ~ 26

1	3cm	2	25
3	242	4	1500원
5	300mL	6	4

1 문제를 그림으로 나타내면

㉮ (−0.7 → / ← +0.7) ㉯ (+2.7 → / ← −2.7) 5

㉯에 들어갈 수는 $5-2.7=2.3$, ㉮에 들어갈 수는 $2.3+0.7=3$입니다. 따라서, 영수가 처음에 공책에 그은 선분은 3cm입니다.

2 먼저 어떤 수를 구하기 위해 문제를 그림으로 나타내면

㉮ (−58 → / ← +58) ㉯ (+125 → / ← −125) 275

㉯에 들어갈 수는 $275-125=150$, ㉮에 들어갈 수는 $150+58=208$이므로 어떤 수는 208입니다. 따라서, 바르게 계산하면
$208-58-125=25$입니다.

3 먼저 어떤 수를 구하기 위해 문제를 그림으로 나타내면

㉮ (+28 → / ← −28) ㉯ (×11 → / ← ÷11) 858

㉯에 들어갈 수는 $858\div11=78$, ㉮에 들어갈 수는 $78-28=50$이므로 어떤 수는 50입니다.
따라서, 바르게 계산하면 $(50-28)\times11=242$입니다.

4 문제를 그림으로 나타내면

㉮ (×2 → / ← ÷2) ㉯ (+1000 → / ← −1000) ㉰ (−2500 → / ← +2500) 1500

㉰에 들어갈 수는 $1500+2500=4000$, ㉯에 들어갈 수는 $4000-1000=3000$, ㉮에 들어갈 수는 $3000\div2=1500$입니다.
따라서, 한초가 원래 가지고 있던 돈은 1500원입니다.

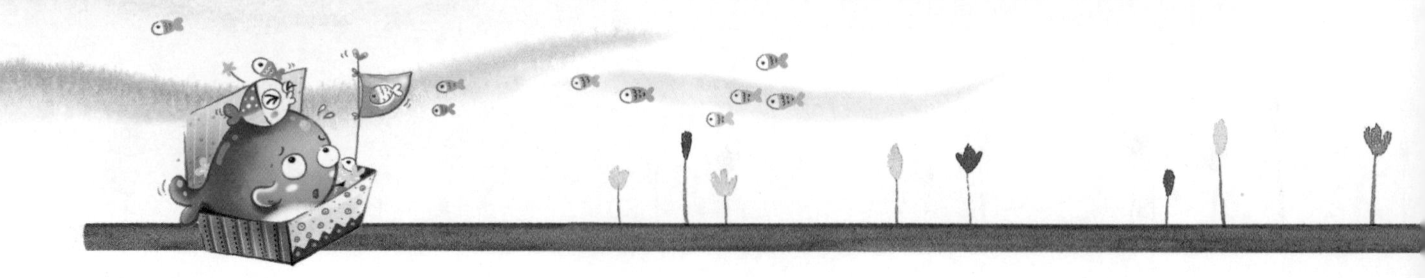

5 석기가 아침에 마신 우유의 양을 □L라 하고, 문제를 그림으로 나타내면

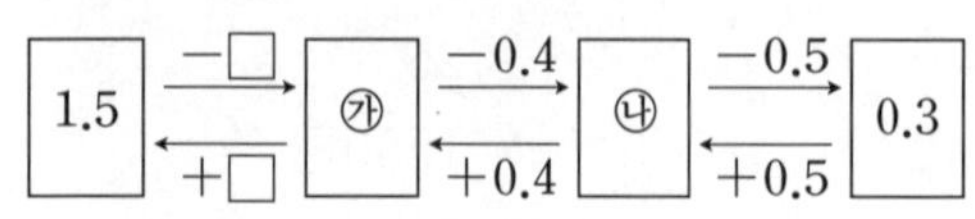

㉯에 들어갈 수는 $0.3+0.5=0.8$, ㉮에 들어갈 수는 $0.8+0.4=1.2$입니다. 따라서, 석기가 아침에 마신 우유는
$1.5-1.2=0.3$(L) ➡ 300mL입니다.

6 어떤 수를 □라 하고, 문제를 그림으로 나타내면

60 (÷□ →, ← ×□) ㉮ (×5 →, ← ÷5) ㉯ (+25 →, ← −25) 100

㉯에 들어갈 수는 $100-25=75$, ㉮에 들어갈 수는 $75\div5=15$입니다.
따라서, 어떤 수는 $60\div15=4$입니다.

금메달 따기 p. 27

1 100원　　2 3000원
3 45m

1 문제를 그림으로 나타내면

㉮ (×2 →, ← ÷2) ㉯ (×2 →, ← ÷2) ㉰ (×2 →, ← ÷2) ㉱ (×2 →, ← ÷2) 1600

㉱에 들어갈 수는 $1600\div2=800$, ㉰에 들어갈 수는 $800\div2=400$, ㉯에 들어갈 수는 $400\div2=200$, ㉮에 들어갈 수는 $200\div2=100$입니다.
따라서, 가영이가 4일 전 저금통에 처음 넣은 돈은 100원입니다.

2 문제를 그림으로 나타내면

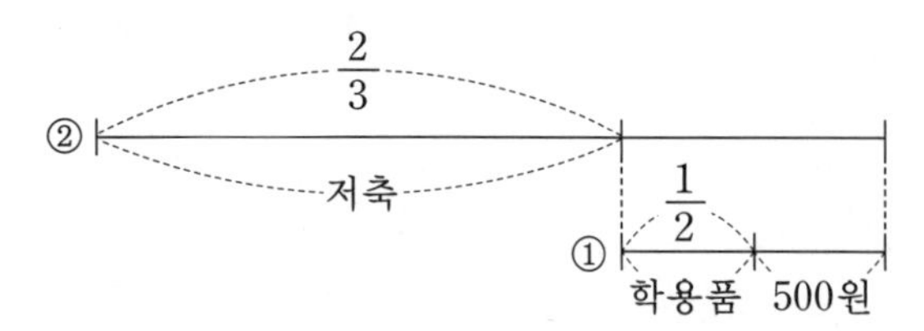

① : $500\times2=1000$(원)
② : $1000\times3=3000$(원)
따라서, 지혜가 처음에 가지고 있던 돈은 $(500\times2)\times3=3000$(원)입니다.

3 문제를 그림으로 나타내면

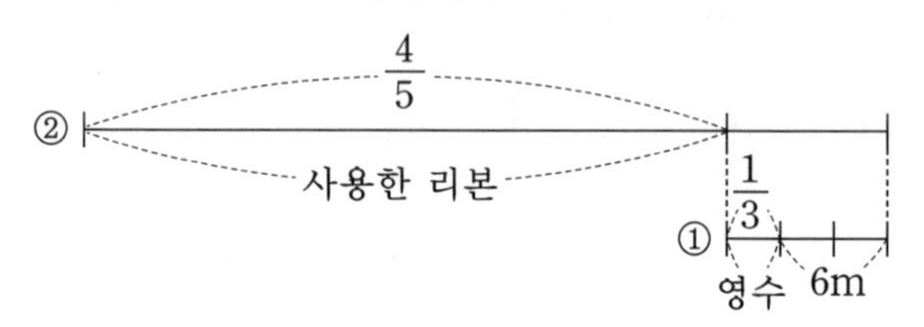

① : $6\div2\times3=9$(m)
② : $9\times5=45$(m)
영수에게 주기 전 리본의 길이는
$6\div2\times3=9$(m)입니다.
따라서, 규형이가 처음에 가지고 있던 리본은
$9\times5=45$(m)입니다.

5 한쪽을 지워서 해결하기

확인문제 p. 28

1 키위 2개만큼의 차이가 납니다.
2 400원　　3 1200원

2 키위 2개의 값은 $4000-3200=800$(원)이므로 키위 1개의 값은 $800\div2=400$(원)입니다.

3 $400\times3=1200$(원)

동메달 따기 p. 29 ~ 30

1 800원　　2 3000원
3 0.4kg　　4 500원
5 600원　　6 1kg 500g

1 사과 3개와 배 4개는 사과 3개와 배 3개와의 관계에서 배 1개만큼의 차이가 납니다. 따라서, 배 1개의 값은 4700－3900＝800(원)입니다.

2 감자 3kg과 고구마 2kg은 감자 4kg과 고구마 2kg과의 관계에서 감자 1kg만큼의 차이가 납니다. 따라서, 감자 1kg의 가격은
20000－17000＝3000(원)입니다.

3 모형배 11개와 모형비행기 13개는 모형배 11개와 모형비행기 14개와의 관계에서 모형비행기 1개만큼의 차이가 납니다.
따라서, 모형비행기 1개의 무게는
3.9－3.7＝0.2(kg)이므로 모형비행기 2개의 무게는 0.2＋0.2＝0.4(kg)입니다.

4 10개들이의 가격이 4500원, 20개들이의 가격이 8500원이므로 사과 10개만큼의 가격은
8500－4500＝4000(원)입니다.
따라서, 바구니만의 가격은
4500－4000＝500(원)입니다.

5 사탕 1개만큼의 차이가 나므로 사탕 1개의 가격은 3300－3000＝300(원)입니다. 따라서, 사탕 8개의 가격이 300×8＝2400(원)이므로
선물 상자 1개의 가격은
3000－2400＝600(원)입니다.

6 통조림 1개만큼의 차이가 나므로 통조림 1개의 무게는 15100－14250＝850(g)이고, 통조림 16개의 무게는 850×16＝13600(g)입니다.
따라서, 빈 상자 1개의 무게는
15100－13600＝1500(g)이므로
1kg 500g입니다.

은메달 따기 p. 31 ~ 32

1 5cm
2 연필 : 300원, 스케치북 : 1000원
3 음악 공책 : 450원, 영어 공책 : 500원
4 300원
5 1500원
6 귤 : 300원, 감 : 400원

1 공책 10권과 책 2권은 공책 5권과 책 2권과의 관계에서 공책 5권만큼의 차이가 납니다. 따라서, 공책 5권의 두께가 9－6.5＝2.5(cm)이므로 공책 10권의 두께는 2.5＋2.5＝5(cm)입니다.

2 연필 5자루와 스케치북 3권은 연필 1자루와 스케치북 3권과의 관계에서 연필 4자루만큼의 차이가 납니다. 따라서, 연필 4자루의 값은
4500－3300＝1200(원)이므로 연필 1자루의 값은 1200÷4＝300(원)이고, 스케치북 3권의 값은 3300－300＝3000(원)이므로 스케치북 1권의 값은 3000÷3＝1000(원)입니다.

3 음악 공책 5권과 영어 공책 3권은 음악 공책 3권과 영어 공책 3권과의 관계에서 음악 공책 2권만큼의 차이가 납니다. 음악 공책 2권의 값은 3750－2850＝900(원)이므로 음악 공책 1권의 값은 900÷2＝450(원)입니다.
따라서, 영어 공책 3권의 값은
3750－(450×5)＝1500(원)이므로 영어 공책 1권의 값은 1500÷3＝500(원)입니다.

4 연필 3자루와 공책 2권의 값이 1900원이므로 연필 6자루와 공책 4권의 값은
1900×2＝3800(원)입니다. 문제의 조건에서 연필 5자루와 공책 4권의 값은 3500원이라 하였으므로, 연필 1자루의 값은
3800－3500＝300(원)입니다.

5 아이스크림 2개와 과자 4봉지의 값이 3800원이므로 아이스크림 4개와 과자 8봉지의 값은
3800×2＝7600(원)입니다. 따라서, 아이스크림 1개의 값은 8100－7600＝500(원)이므로 아이스크림 3개의 값은 500×3＝1500(원)입니다.

6 귤 3개와 감 4개는 귤 2개와 감 3개와의 관계에서 귤 1개와 감 1개만큼의 차이가 납니다.
귤 1개와 감 1개의 값의 합은
2500－1800＝700(원)이므로
귤 2개와 감 2개의 값의 합은
700×2＝1400(원)입니다.
따라서, 감 1개의 값은 1800－1400＝400(원)이고, 귤 1개의 값은 700－400＝300(원)입니다.

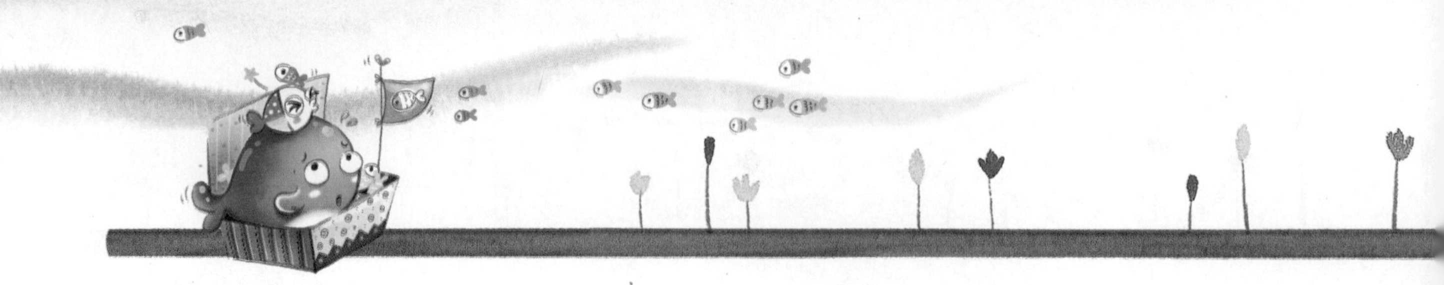

금메달 따기

p. 33

1 1600원
2 삼각형 : 9cm, 사각형 : 16cm
3 12cm

1 샤프 7개와 샤프심 5통은 샤프 4개와 샤프심 5통과의 관계에서 샤프 3개만큼의 차이가 납니다. 샤프 3개의 가격은 $4500-3000=1500$(원)이므로 샤프 1개의 가격은 $1500\div3=500$(원)이고, 샤프 4개의 가격은 $500\times4=2000$(원)입니다. 샤프심 5통의 가격은
$3000-2000=1000$(원)이므로
샤프심 1통의 가격은 $1000\div5=200$(원)입니다.
따라서, 샤프심 8통의 가격은
$200\times8=1600$(원)입니다.

2 삼각형 1개와 사각형 3개의 변의 길이의 합은
$216-159=57$(cm)입니다.
삼각형 3개와 사각형 9개의 변의 길이의 합은
$57\times3=171$(cm)이므로 삼각형 5개의 변의 길이의 합은 $216-171=45$(cm)입니다.
따라서, 삼각형 1개의 변의 길이의 합은
$45\div5=9$(cm)이고, 사각형 1개의 변의 길이의 합은 $(216-9\times8)\div9=16$(cm)입니다.

3 추를 달았을 때 용수철 저울의 길이는 추를 달지 않았을 때 용수철 저울의 길이와 늘어난 용수철 저울의 길이의 합입니다. $96-24=72$(g)의 추를 달았을 때, 늘어난 길이는 $36-18=18$(cm)이므로 용수철 저울을 1cm 늘이는 데
$72\div18=4$(g)이 필요합니다. 그러므로, 24g으로는 $24\div4=6$(cm) 늘일 수 있습니다. 따라서, 추를 달지 않았을 때, 용수철 저울의 원래 길이는 $18-6=12$(cm)입니다.

6 바둑돌 늘어놓기 유형 해결하기

확인문제

p. 34

1 8개 2 7개
3 28개

3 (둘레에 놓인 사탕의 개수)
$=\{$(한 변에 놓인 사탕의 개수)$-1\}\times4$
$=(8-1)\times4=7\times4=28$(개)

동메달 따기

p. 35 ~ 36

1 36개 2 76장
3 26개 4 32개
5 44개 6 58개

1 둘레에 놓인 구슬을 4등분 하여 생각합니다.
따라서, $(10-1)\times4=36$(개)입니다.

2 둘레에 놓인 카드를 4등분 하여 생각합니다.
따라서, $(20-1)\times4=76$(장)입니다.

3 둘레에 놓인 동전을 4등분 하여 한 묶음의 개수를 알아낸 뒤 1개를 더합니다.
따라서, $(100\div4)+1=26$(개)입니다.

4 둘레에 놓인 바둑돌을 4등분 하여 한 묶음의 개수를 알아낸 뒤 1개를 더합니다.
따라서, $(124\div4)+1=32$(개)입니다.

5 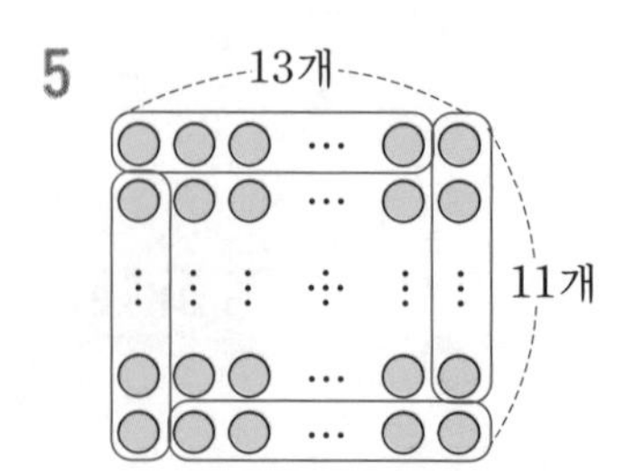

위 그림에서 볼 때, 한 묶음에 $13-1=12$(개)인 것과, 한 묶음에 $11-1=10$(개)인 두 종류의 묶음이 있습니다. 따라서, 둘레에 놓인 사탕 수는
$(12+10)\times2=44$(개)입니다.
하나의 식으로 나타내면,

$\{(13-1)+(11-1)\}\times 2$
$=(13+11-2)\times 2=44$(개)입니다.

별해

$(13+11)\times 2-4=48-4=44$(개)

6 $\{(14+17)-2\}\times 2=58$(개)

별해

$(14+17)\times 2-4=62-4=58$(개)

은메달 따기

p. 37 ~ 38

1 784개　　2 76개
3 196개　　4 32000원
5 529개　　6 217장

1 한 변에 놓인 구슬의 개수는
$(108\div 4)+1=27+1=28$(개)입니다.
따라서, 구슬은 모두 $28\times 28=784$(개)입니다.

2 같은 수끼리 곱하여 400이 되는 수는 20입니다. 따라서, 한 변에 놓인 바둑돌의 개수가 20개이므로 둘레에 놓인 바둑돌은 $(20-1)\times 4=76$(개)입니다.

3 둘레에 놓인 동전의 개수는 $5200\div 100=52$(개)이므로 한 변에 놓인 동전의 개수는
$(52\div 4)+1=14$(개)입니다. 따라서, 동전 전체의 개수는 $14\times 14=196$(개)입니다.

4 한 번 더 에워싸면 한 변에 놓이는 동전의 개수가 $15+2=17$(개)이므로 한 번 더 에워싸는데 필요한 동전은 $(17-1)\times 4=64$(개)입니다.
따라서, 필요한 동전의 금액은
$500\times 64=32000$(원)입니다.

5 안쪽의 모양은 파란색 구슬을 한 변에
$25-2=23$(개)씩 빈틈없이 늘어놓아 만든 정사각형입니다. 따라서, $23\times 23=529$(개)입니다.

별해

전체 구슬의 개수에서 둘레에 놓인 초록색 구슬의 개수를 뺍니다.

$(25\times 25)-\{(25-1)\times 4\}$
$=625-96=529$(개)

6 둘레에 놓인 노란색 타일은
$(19-1)\times 4=72$(장)이고, 안쪽에 놓인 흰색 타일은 $17\times 17=289$(장)입니다.
따라서, 흰색 타일은 노란색 타일보다
$289-72=217$(장) 더 많습니다.

금메달 따기

p. 39

1 38장　　2 68개
3 124장

1 문제를 표로 나타내어 봅니다.

가로(●)	10	11	12	13	14
세로(▲)	5	6	7	8	9
●×▲	50	66	84	104	126

위의 표에서 가로는 13장, 세로는 8장입니다.
따라서, 둘레에 놓인 딱지는
$\{(13+8)-2\}\times 2=38$(장)입니다.

2 바둑돌이 25개씩 들어 있는 상자는
$370\div 25=14\cdots 20$에서 14상자이므로 상자에 들어 있는 바둑돌을 모으면 $25\times 14=350$(개)이고, 이 바둑돌을 다시 27개씩 담으면 바구니는 $350\div 27=12\cdots 26$에서 12바구니이므로 바구니에 담긴 바둑돌을 모으면 $27\times 12=324$(개)입니다. 따라서, 같은 수끼리 곱하여 324가 되는 수는 18이므로 둘레에 놓인 바둑돌은
$(18-1)\times 4=68$(개)입니다.

3 왼쪽 그림과 같이 가로 한 줄, 세로 한 줄을 늘리는 데
$24-3=21$(장)이 사용되었으므로 가로와 세로를 각각 한 줄씩 늘려 만든 정사각형의 한 변에 놓이는 스티커는
$(21+1)\div 2=11$(장)입니다. 따라서, 스티커는 모두 $11\times 11+3=124$(장)입니다.

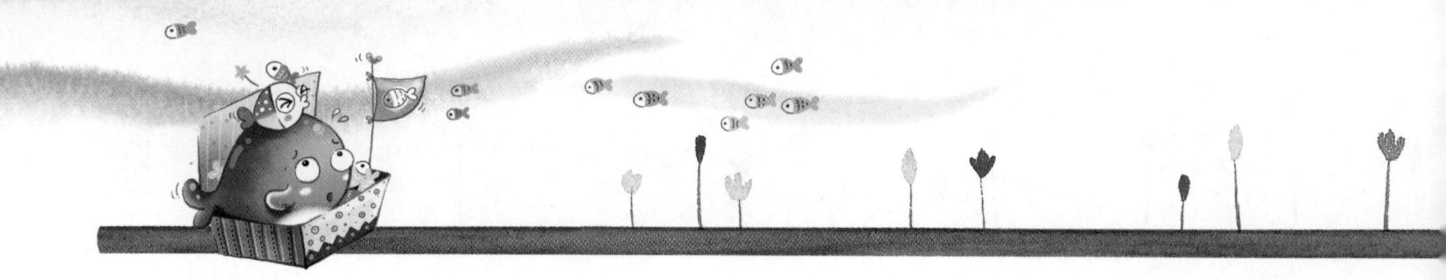

7 나무심기 유형 해결하기

확인문제 p.40

1 16개　2 17그루
3 34그루

1 720÷45=16(개)

2 간격이 16개이므로 가로수는 16+1=17(그루)입니다.

3 17×2=34(그루)

동메달 따기 p. 41 ~ 42

1 21그루　2 50그루
3 24개　4 29번
5 31그루　6 34m

1 간격의 수는 740÷37=20(개)이므로 도로의 한쪽에 필요한 나무는 20+1=21(그루)입니다.

2 간격의 수는 960÷40=24(개)이므로 길의 한쪽에 필요한 소나무는 24+1=25(그루)입니다.
따라서, 길의 양쪽에는 25×2=50(그루)가 필요합니다.

3 간격의 수는 900÷36=25(개)입니다.
따라서, (가로등의 수)=(간격의 수)−1이므로 25−1=24(개)입니다.

4 철사를 25cm씩 자르면 750÷25=30(도막)이 만들어집니다.
30도막이 되려면 30−1=29(번) 자르면 됩니다.

5 간격의 수는 806÷26=31(개)입니다.
따라서, (은행나무의 수)=(간격의 수)이므로 은행나무는 31그루 심어져 있습니다.

6 (호수의 둘레)÷(간격의 수)=986÷29=34(m)이므로 기둥을 34m 간격으로 세운 것입니다.

은메달 따기 p. 43 ~ 44

1 4장　2 2352m
3 60cm　4 248000원
5 32그루　6 73그루

1 원에서 간격의 수와 스티커의 수는 같습니다.
간격의 수가 154÷14=11(개)이므로 스티커는 11장 붙일 수 있습니다.
따라서, 스티커는 15−11=4(장) 남습니다.

2 도로의 한쪽에는 114÷2=57(그루)의 가로수가 심어져 있으므로 간격은 56개입니다.
따라서, 도로의 길이는 42×56=2352(m)입니다.

3 액자가 6개이므로 간격은 7개입니다. 액자 6개의 가로의 길이의 합은
640−40×7=360(cm)입니다.
따라서, 액자 하나의 가로의 길이는
360÷6=60(cm)입니다.

4 간격의 수는 768÷24=32(개)이므로 잣나무는 31그루 필요합니다.
따라서, 필요한 잣나무를 사는 데
8000×31=248000(원)이 듭니다.

5 땅의 둘레의 길이는
56+72+56+72=256(m)입니다.
256÷8=32에서 간격은 32개이고, 간격의 수와 필요한 꽃나무의 수가 같으므로 꽃나무는 32그루가 필요합니다.

6 소나무를 심은 간격의 수는 504÷28=18(개)이므로 소나무는 18+1=19(그루)가 필요하고, 밤나무는 3×18=54(그루)가 필요합니다.
따라서, 소나무와 밤나무는 모두
19+54=73(그루)가 필요합니다.

금메달 따기 p. 45

1 17m　　2 29그루
3 260cm

1 처음 가로수와 마지막 가로수 사이의 간격의 수는 $32-1=31$(개)이므로 가로수와 가로수 사이의 간격은 $(533-3\times2)\div31=17$(m)입니다.

2 양끝의 나무 사이의 거리는
$45\times(59-1)=2610$(m)입니다. 양끝의 나무를 제외하고 30m 간격으로 다시 심는 것은 처음과 끝에 나무를 심지 않는 방법과 같으므로 30m 간격으로 $2610\div30-1=86$(그루)를 다시 심게 됩니다.
따라서, 나무는 $86-(59-2)=29$(그루)가 더 필요합니다.

3 만들어진 직사각형의 가로의 길이는
$8\times15-2\times14=92$(cm)이고, 세로의 길이는
$5\times12-2\times11=38$(cm)입니다.
따라서, 직사각형의 둘레의 길이는
$92+38+92+38=260$(cm)입니다.

8 규칙적으로 반복되는 유형 해결하기

확인문제 p.46

1 풀이 참조　　2 51묶음, 2개
3 103개

1 ●■●▲▲■▲

2 $359\div7=51\cdots2$에서 51묶음이 되고, 2개가 남습니다.

3 반복되는 부분 안에 ●가 2개씩 들어 있고, 나머지 2개 중 ●가 1개 있습니다.
따라서, $2\times51+1=103$(개)입니다.

동메달 따기 p. 47 ~ 48

1 흰색 바둑돌　　2 1
3 150개　　4 166개
5 금요일　　6 수요일

1 반복되는 부분은 ●○●○●● 입니다.
$202\div6=33\cdots4$에서 반복되는 부분은 33묶음이 되고, 4개가 남습니다.
따라서, 마지막에는 흰색 바둑돌이 놓입니다.

2 반복되는 3, 3, 7, 5, 1, 8, 4를 한 묶음으로 생각하면 $411\div7=58\cdots5$입니다.
따라서, 411째 번 수는 59째 묶음의 5번째 수이므로 1입니다.

3 반복되는 부분은 ◈⊙▣⊙▣⊙⊙▣이고,
이 중 ⊙는 4개 들어 있습니다.
$300\div8=37\cdots4$에서 반복되는 부분은 37묶음이 되고, 도형이 4개 남으며, 남는 도형 중 2개가 ⊙입니다.
따라서, ⊙는 모두 $4\times37+2=150$(개) 있습니다.

4 반복되는 부분은 (500)(10)(100)(10)(10)(100)이고,
이 중 10원짜리 동전은 3개 있습니다.
$333\div6=55\cdots3$에서 55묶음이 되고, 동전이 3개 남으며, 이 중 1개가 10원짜리 동전입니다.
따라서, 10원짜리 동전은 모두
$3\times55+1=166$(개)입니다.

5 $171\div7=24\cdots3$에서 화요일부터 3일 후인 금요일입니다.

6 다음 해 4월 8일은 올해 4월 5일부터
$365+3=368$(일) 후입니다.
따라서, $368\div7=52\cdots4$에서 토요일부터 4일 후인 수요일입니다.

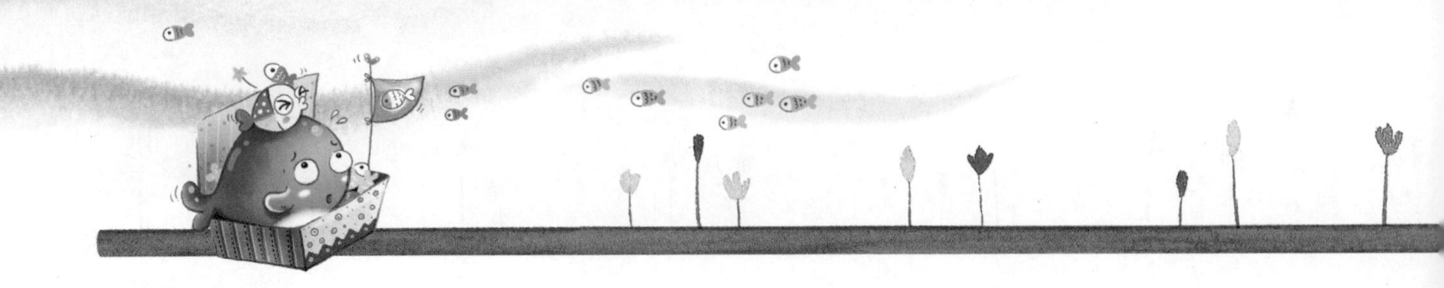

은메달 따기 p. 49 ~ 50

1 빨간색, 초록색	2 109장
3 268	4 808
5 수요일	6 37

1 반복되는 부분은 ♣♥★♥♠♠★ 입니다. 100째 번에 놓이는 도형은 $100\div7=14\cdots2$에서 ♥이고, 210째 번에 놓이는 도형은 $210\div7=30$에서 ★입니다.

2 반복되는 부분은 A M E R I C A 이고, 이 중 A가 쓰인 카드는 2장, M이 쓰인 카드는 1장이므로 모두 3장입니다.
$253\div7=36\cdots1$에서 반복되는 부분은 36묶음이 되고, 1장이 남으며, 이것은 A가 쓰인 카드입니다. 따라서, $3\times36+1=109$(장)입니다.

3 반복되는 부분은 5, 3, 0, 0, 2이고, 반복되는 부분 안의 수들을 더하면 $5+3+0+0+2=10$입니다. $132\div5=26\cdots2$에서 반복되는 부분은 26묶음이 되고, 수가 2개 남습니다.
따라서, $10\times26+(5+3)=260+8=268$입니다.

4 반복되는 부분은 8, 5, 3, 8, 3, 3이고, 한 묶음 안에는 8이 2번 들어 있습니다.
$301\div6=50\cdots1$에서 반복되는 부분은 50묶음이고, 1개의 수가 남습니다.
따라서, 8은 $2\times50+1=101$(번) 나오므로 $8\times101=808$입니다.

5 12월 31은 3월 14일부터
$17+30+31+30+31+31+30+31+30+31=292$(일) 후입니다.
따라서, 올해 12월 31일은 $292\div7=41\cdots5$에서 금요일부터 5일 후인 수요일입니다.

6 5월 31일은 4월 29일부터 $1+31=32$(일) 후이므로 $32\div7=4\cdots4$에서 일요일부터 4일 후인 목요일입니다. 6월 1일이 첫째 주 금요일이므로 둘째 주 금요일은 $1+7=8$(일)이고, 다섯째 주 금요일은 $8+7+7+7=29$(일)이므로 날짜의 합은 $8+29=37$입니다.

금메달 따기 p. 51

1 5480원	2 54째 번
3 20	

1 반복되는 부분은 50 100 10 500 100 이고,
한 묶음 안에 있는 동전의 금액은
$50+100+10+500+100=760$(원)입니다.
$38\div5=7\cdots3$에서 50원, 100원, 10원짜리 동전이 각각 1개씩 남습니다.
따라서, 38째 번 동전까지의 금액의 합은
$760\times7+(50+100+10)=5480$(원)입니다.

2 반복되는 부분 안의 금액의 합은 760원이므로
$8260\div760=10\cdots660$에서
10묶음이 되고, 660원이 남습니다.
$660=50+100+10+500$이므로 남은 동전은 4개입니다.
따라서, $5\times10+4=54$(째 번) 동전까지의 합입니다.

3 반복되는 부분은 1, 0.2, 0.3, 0.3, 0.2, 2이고, 이들의 합은 $1+0.2+0.3+0.3+0.2+2=4$입니다. 61째 번 수는 $61\div6=10\cdots1$에서 1이고, 90째 번 수는 $90\div6=15$에서 2입니다. 61째 번 수부터 90째 번 수까지는 30개이고, 이것을 반복되는 부분으로 묶으면 $30\div6=5$(묶음)이 됩니다.
따라서, 수들의 합을 구하면 $4\times5=20$입니다.

(61째 번~90째 번)
=(첫째 번~90째 번)−(첫째 번~60째 번)이므로
$4\times15-4\times10=4\times5=20$입니다.

9 평균에 관한 문제 해결하기

확인문제 p.52

1 420점	2 84점

1 $76+84+80+92+88=420$(점)

2 $420\div5=84$(점)

동메달 따기
p. 53 ~ 54

1 12명	2 7회
3 555	4 14시간
5 135cm	
6 월요일, 목요일, 금요일	

1 평균은 전체를 더한 합계를 개수로 나누어 구하므로 하루 평균 방문한 친구들의 수는 30일 동안 방문한 친구들의 수를 30으로 나누어 구하면 됩니다.
따라서, 하루 평균 $360\div30=12$(명)의 친구들이 방문한 셈입니다.

2 (용희네 모둠 학생들의 턱걸이한 총 횟수)
$=10+4+2+7+13+12+8=56$(회)
따라서, 용희네 모둠 학생은 8명이므로 학생들의 평균 턱걸이 횟수는 $56\div8=7$(회)입니다.

3 가장 작은 수는 258이고, 가장 큰 수는 852입니다.
따라서, 가장 작은 수와 가장 큰 수의 평균은
$(258+852)\div2=1110\div2=555$입니다.

4 (3주일 동안 태권도를 한 시간)
$=40\times7\times3=840$(분)
따라서, 규형이가 3주일 동안 태권도를 한 시간은 $840\div60=14$(시간)입니다.

5 효근이의 키를 구한 후 두 사람의 키의 평균을 구합니다.
(효근이의 키)$=130+10=140$(cm)
따라서, 두 사람의 키의 평균은
$(130+140)\div2=135$(cm)입니다.

별해

효근이가 신영이보다 10cm 더 크므로 10cm를 나누어 두 사람의 키에 더하거나 빼면 두 사람의 키는 같아집니다.
따라서, 두 사람의 키의 평균은
$130+(10\div2)=135$(cm)입니다.

6 일 주일 동안 문방구점에서 준비물을 산 하루 평균 학생 수를 구한 후 평균보다 학생 수가 많은 요일을 모두 찾아봅니다.
(문방구점에서 준비물을 산 하루 평균 학생 수)
$=(28+47+15+22+30+29+25)\div7$
$=196\div7=28$(명)
따라서, 문방구점에서 준비물을 산 하루 평균 학생 수가 28명보다 많은 요일은 월요일, 목요일, 금요일입니다.

은메달 따기
p. 55 ~ 56

1 2시간	2 318개
3 481	4 40kg
5 2mm	6 12명

1 가영이네 모둠 학생들이 인터넷을 사용한 총 시간을 학생 수로 나누어 평균 사용 시간을 구합니다.
따라서, 평균 인터넷 사용 시간은
$(2.2+3+1.6+1.9+1.3)\div5=10\div5=2$(시간)입니다.

2 귤의 총 개수를 구한 후 40으로 나누어 필요한 상자의 개수를 구합니다.
(귤의 총 개수)$=265\times48=12720$(개)
따라서, 필요한 상자의 개수는
$12720\div40=318$(개)입니다.

3 십의 자리에서 반올림하여 500이 되는 수는 501, 460, 482이므로 이 수들의 평균을 구하면
$(501+460+482)\div3=1443\div3=481$입니다.

4 (동민, 영수, 용희의 몸무게의 합)
$=42\times3=126$(kg)
(예슬, 한솔이의 몸무게의 합)$=37\times2=74$(kg)

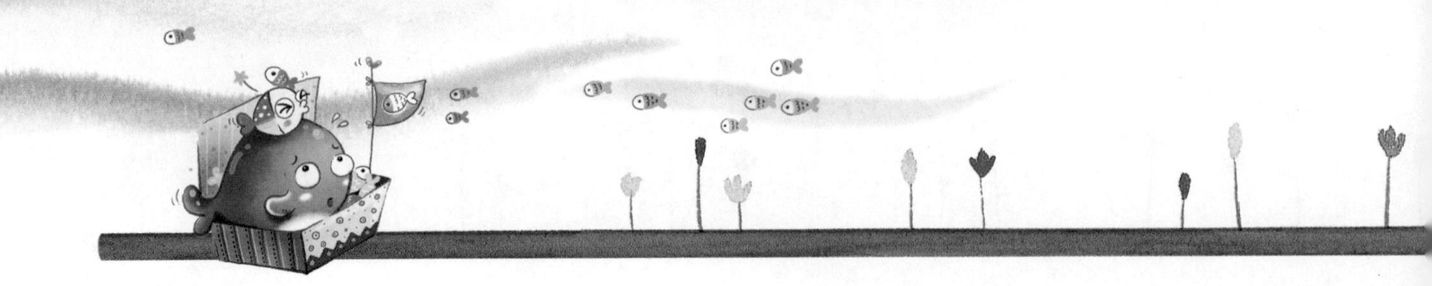

(5명의 몸무게의 합)=126+74=200(kg)
따라서, 5명의 몸무게의 평균은
200÷5=40(kg)입니다.

5 꺾은선그래프에서 작은 눈금 한 칸의 크기는 1mm이고, 조사한 시간은 오전 6시부터 오후 6시까지이므로 12시간입니다.
따라서, 조사한 시간 동안 식물의 키는 25−1=24(mm)자랐으므로, 식물은 한 시간 동안 평균 24÷12=2(mm)씩 자란 셈입니다.

6 다섯 반의 안경을 낀 학생 수의 평균이 11명이므로 안경을 낀 학생은 모두 11×5=55(명)입니다.
따라서, 2반에서 안경을 낀 학생은
55−(10+12+7+14)=55−43=12(명)입니다.

금메달 따기

p. 57

1 179명 2 5
3 96점

1 (5회의 입장객 수)
=(120+175+240+221)÷4
=756÷4=189(명)
(6회의 입장객 수)=189−10=179(명)

2 (지혜의 한 회 평균 눈의 수)
=(6+1+2+3)÷4=3
율기가 던져서 나온 한 회의 평균 눈의 수도 3이므로 눈의 수의 총합은 3×5=15입니다.
따라서, 4회에서 나온 주사위의 눈의 수는
15−(4+2+1+3)=5입니다.

3 (국어, 수학 점수의 총점)=84×2=168(점)
(국어, 수학, 과학 점수의 총점)
=88×3=264(점)
따라서, 과학 시험에서 264−168=96(점)을 받아야 합니다.

10 차가 일정한 점을 이용하여 해결하기

확인문제

p. 58

1 18 2 9살
3 27세

2 18÷(3−1)=18÷2=9(살)

3 9×3=27(세)

동메달 따기

p. 59 ~ 60

1 2년 후 2 6년 후
3 3년 후 4 4년 전
5 7년 전 6 10일 후

1 아버지와 율기의 나이의 차는 34−7=27(살)입니다.
몇 년 후의 율기와 아버지의 나이를 그림으로 그려 보면 다음과 같습니다.

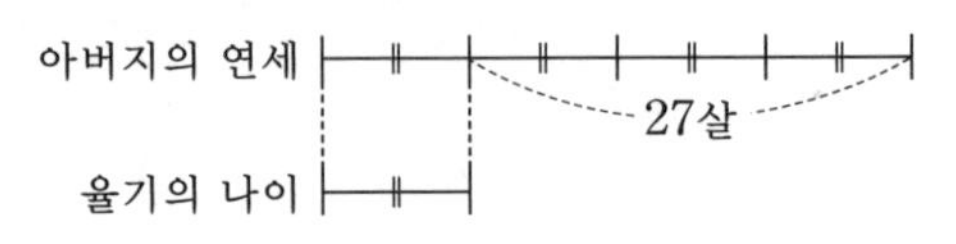

몇 년 후의 율기의 나이는 27÷(4−1)=9(살)입니다.
따라서, 아버지의 연세가 율기의 나이의 4배가 되는 것은 9−7=2(년) 후입니다.

2 먼저 올해 할머니와 웅이의 나이의 차를 구한 후 몇 년 후의 웅이의 나이를 구합니다.
올해 할머니와 웅이의 나이의 차는
66−12=54(살)이고, 몇 년 후의 웅이의 나이는 54÷(4−1)=18(살)입니다.
따라서, 할머니의 연세가 웅이의 나이의 4배가 되는 것은 18−12=6(년) 후입니다.

3 올해 할아버지와 손자의 나이의 차는
75−10=65(살)이고, 몇 년 후의 손자의 나이는 65÷(6−1)=13(살)입니다.

따라서, 할아버지의 연세가 손자의 나이의 6배가 되는 것은 $13-10=3$(년) 후입니다.

4 몇 년 전에도 어머니와 아들의 나이의 차는 항상 $39-11=28$(살)로 같습니다. 몇 년 전의 어머니의 연세와 아들의 나이를 그림으로 나타내면 다음과 같습니다.

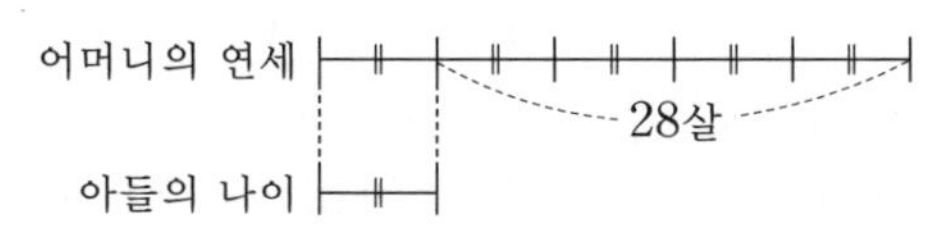

위의 그림에서 몇 년 전의 아들의 나이는
$28\div(5-1)=7$(살)입니다.
따라서, 어머니의 연세가 아들의 나이의
5배가 되었던 것은 $11-7=4$(년) 전입니다.

5 올해 한별이와 큰아버지의 나이의 차는
$63-15=48$(살)이고, 큰아버지의 연세가 한별이의 나이의 7배였을 때의 한별이의 나이는
$48\div(7-1)=8$(살)입니다.
따라서, 큰아버지의 연세가 한별이의 나이의 7배가 되었던 때는 $15-8=7$(년) 전입니다.

6 지금 두 사람이 가지고 있는 스티커의 수의 차는
$50-30=20$(장)입니다.
며칠 후의 율기와 석기의 스티커의 수를 그림으로 그려 보면 다음과 같습니다.

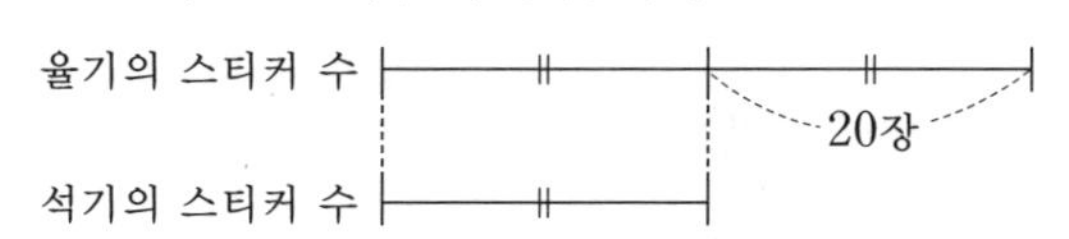

율기의 스티커의 수가 석기의 스티커의 수의 2배가 되는 것은 석기의 스티커의 수가
$20\div(2-1)=20$(장)이 될 때입니다.
따라서, $30-20=10$(일) 후입니다.

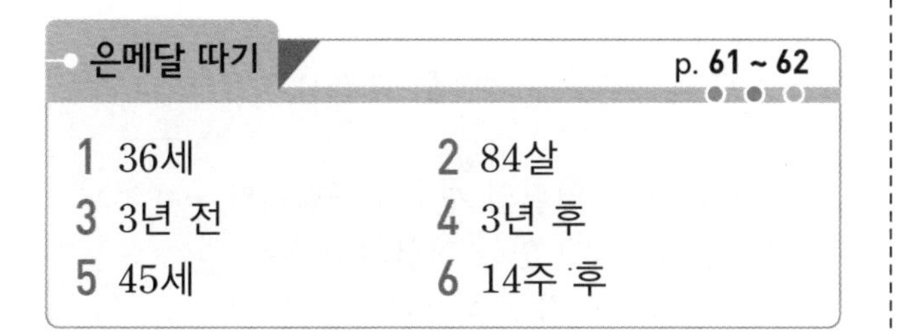

은메달 따기 p. 61 ~ 62

1 36세	2 84살
3 3년 전	4 3년 후
5 45세	6 14주 후

1 나이의 차가 24살이고, 선생님의 연세가 신영이의 나이의 3배가 되도록 그림을 그려 보면 다음과 같습니다.

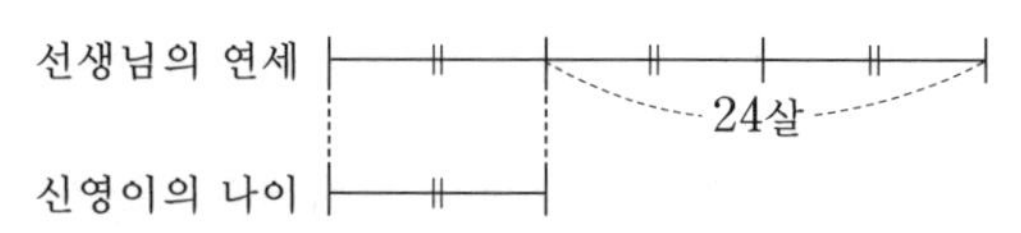

위의 그림에서 신영이의 나이는
$24\div(3-1)=12$(살)이고, 선생님의 연세는
$12\times3=36$(세)입니다.

2 나이의 차가 60살이고, 할아버지의 연세가 예슬이의 나이의 6배가 되도록 그림을 그려 보면 다음과 같습니다.

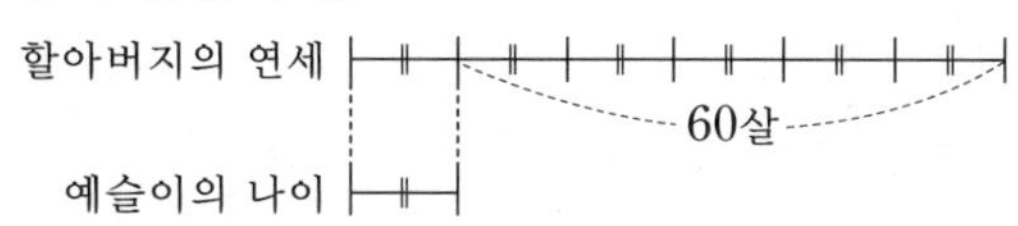

위의 그림에서 예슬이의 나이는
$60\div(6-1)=12$(살)이고, 할아버지의 연세는
$12\times6=72$(세)입니다.
따라서, 올해 할아버지와 예슬이의 나이의 합은
$72+12=84$(살)입니다.

3 올해 동생의 나이는 합과 차의 관계를 이용하여 구할 수 있습니다.
따라서, $(26-10)\div2=8$(살)입니다.
효근이의 나이가 동생의 나이의 3배가 되도록 그림을 그려 보면 다음과 같습니다.

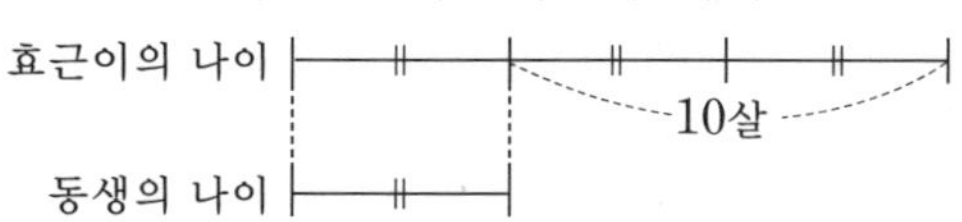

위의 그림에서 효근이의 나이가 동생의 나이의 3배가 되었던 때 동생의 나이는
$10\div(3-1)=5$(살)이므로 $8-5=3$(년) 전입니다.

4 올해 영수의 나이는 합과 차의 관계를 이용하여 구할 수 있습니다.
따라서, $(54-40)\div2=7$(살)입니다.
큰아버지의 연세가 영수의 나이의 5배가 되도록 그림을 그려 보면 다음과 같습니다.

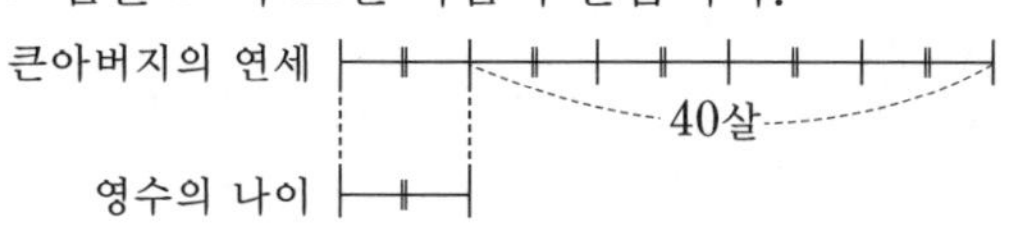

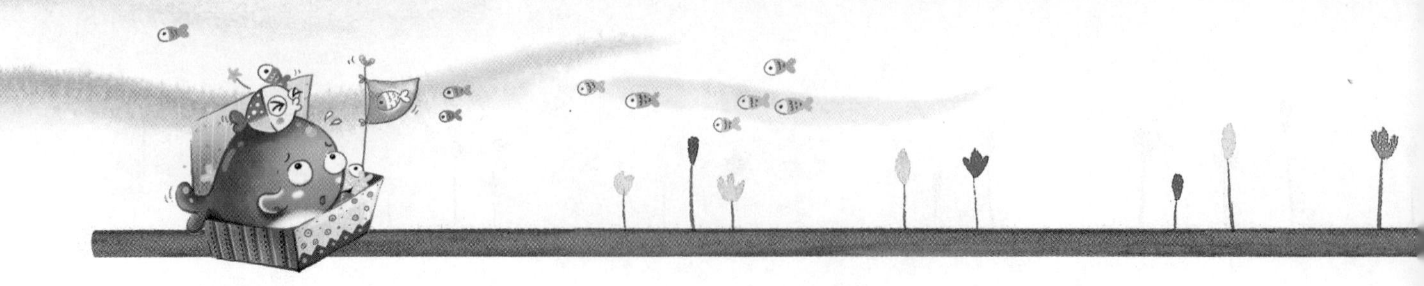

위의 그림에서 큰아버지의 연세가 영수의 나이의 5배가 될 때 영수의 나이는
$40 \div (5-1) = 10$(살)이므로 $10-7=3$(년) 후입니다.

5 아버지의 연세와 가영이의 나이의 차는 30살입니다. 아버지의 연세가 가영이의 나이의 3배가 되도록 그림을 그려 보면 다음과 같습니다.

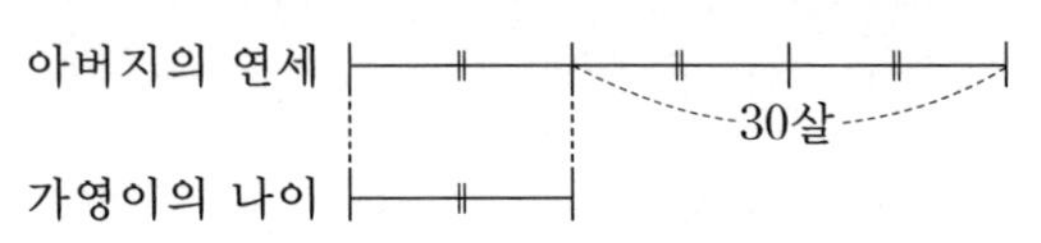

위의 그림에서 아버지의 연세가 가영이의 나이의 3배가 될 때 가영이의 나이는
$30 \div (3-1) = 15$(살)이므로
아버지의 연세는 $15+30=45$(세)입니다.

6 규형이와 신영이의 돈의 차는
$20000-16000=4000$(원)이므로 신영이의 남는 돈이 규형이의 남는 돈의 3배가 되는 것은 규형이의 남는 돈이 $4000 \div (3-1) = 2000$(원)이 될 때입니다.
따라서, $(16000-2000) \div 1000 = 14$(주) 후입니다.

금메달 따기 p. 63

1 어머니 : 36세, 석기 : 8살
2 51살　　3 24년 후

1 6년 후에 어머니와 석기 모두 6살이 더 많아지지만 나이의 차는 28살로 같습니다.

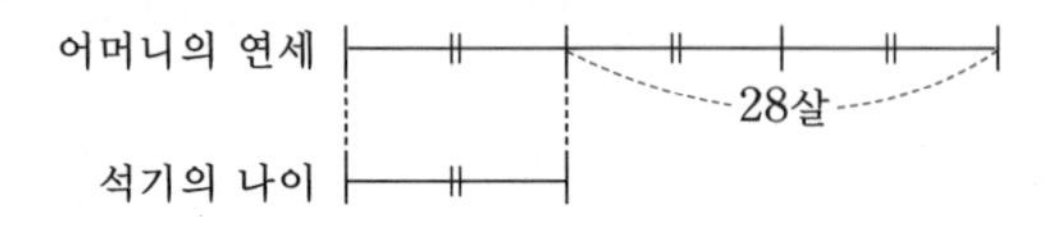

6년 후 석기의 나이는 $28 \div (3-1) = 14$(살)이므로 올해 석기의 나이는
$14-6=8$(살)이고, 어머니의 연세는 석기의 나이보다 28살 더 많으므로 $8+28=36$(세)입니다.

2 3년 전에도 삼촌의 연세와 웅이의 나이의 차는 27살로 같습니다. 3년 전의 웅이의 나이는
$27 \div (4-1) = 9$(살)이었으므로
올해 웅이의 나이는 $9+3=12$(살)이고,
삼촌의 연세는 $12+27=39$(세)입니다.
따라서, 삼촌과 웅이의 나이의 합은
$12+39=51$(살)입니다.

3 두 딸의 나이의 합은 1년에 2살씩 많아지고 아버지의 연세는 1살씩 많아지므로 나이의 차가 1년마다 $2-1=1$(살)씩 좁혀집니다.
올해 아버지의 연세는 두 딸의 나이의 합보다 $42-(10+8)=24$(살) 더 많으므로 나이가 같아지는 것은 24년 후입니다.

11 합이 일정한 점을 이용하여 해결하기

확인문제 p. 64

1 140개　　2 70개
3 10개

1 $80+60=140$(개)

2 $140 \div 2 = 70$(개)

3 $80-70=10$(개)

동메달 따기 p. 65 ~ 66

1 10자루　　2 225mL
3 23개　　4 5분
5 6개　　6 810mL

1 먼저 같아진 연필의 개수를 구합니다.
두 사람이 갖고 있는 연필의 개수는
$30+50=80$(자루)이므로 두 사람이

80÷2=40(자루)씩 가져야 같아집니다.
따라서, 한솔이는 영수에게 연필을
50−40=10(자루) 주었습니다.

별해

(50−30)÷2=10(자루)

2 물병 두 개에 담긴 물의 양은
300+750=1050(mL)입니다.
물을 옮겨 넣은 후의 각각의 물병의 물의 양은
1050÷2=525(mL)입니다.
따라서, 물병 나에서 가로 옮겨 넣은 물은
750−525=225(mL)입니다.

별해

(750−300)÷2=225(mL)

3 두 사람이 갖고 있는 클립의 개수는
258+304=562(개)이므로 두 사람이
562÷2=281(개)씩 가져야 같아집니다.
따라서, 가영이는 웅이에게 클립을
304−281=23(개) 주었습니다.

별해

(304−258)÷2=23(개)

4 두 창고에 있는 벽돌의 수는 모두
450+750=1200(장)이므로 창고 가와 나의 벽돌의 수가 각각 1200÷2=600(장)이 되어야 합니다.
따라서, 벽돌을 옮긴지
(750−600)÷30=5(분) 만에 두 창고의 벽돌의 수가 같아졌습니다.

별해

(750−450)÷2÷30=5(분)

5 구슬을 옮겨 넣은 후의 각각의 상자에 들어 있는 구슬의 개수는 (1600+1300)÷2=1450(개)입니다.
따라서, 한 번 옮길 때마다
(1600−1450)÷25=6(개)씩 옮겨 넣은 것입니다.

6 두 물통에 들어 있는 물의 양은
20.6+36.8=57.4(L)입니다.
1L=1000mL이므로 57.4L=57400mL이고,
두 물통의 물의 양은 각각
57400÷2=28700(mL)가 되어야 합니다.
따라서, 10분 동안 옮겼으므로 1분에
(36800−28700)÷10=810(mL)씩 옮겨 넣은 셈입니다.

은메달 따기

p. 67 ~ 68

1 9000원 2 10권
3 9자루 4 29개
5 3500원 6 28000원

1 같아진 돈의 액수는 각각 12000÷2=6000(원)입니다.
따라서, 형은 6000+3000=9000(원)을 가지고 있었습니다.

2 두 사람이 갖고 있는 동화책은 모두
20+70=90(권)입니다. 동민이가 용희에게 동화책을 주고 난 뒤를 그림으로 나타내면 다음과 같습니다.

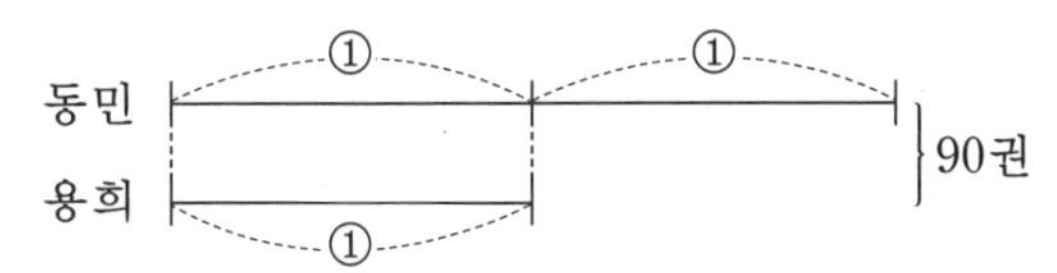

위의 그림에서 용희가 갖고 있는 동화책은
90÷(2+1)=30(권)이 되므로 동민이가 용희에게 30−20=10(권)을 주었습니다.

3 두 사람이 갖고 있는 연필은 모두
36+24=60(자루)입니다. 웅이가 한솔이에게 연필을 주고 난 뒤를 그림으로 나타내면 다음과 같습니다.

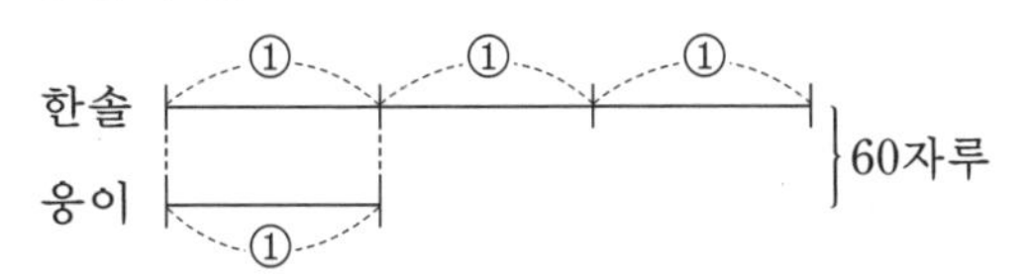

위의 그림에서 웅이가 갖고 있는 연필은
60÷(3+1)=15(자루)가 되므로 웅이가 한솔이에게 준 연필은 24−15=9(자루)입니다.

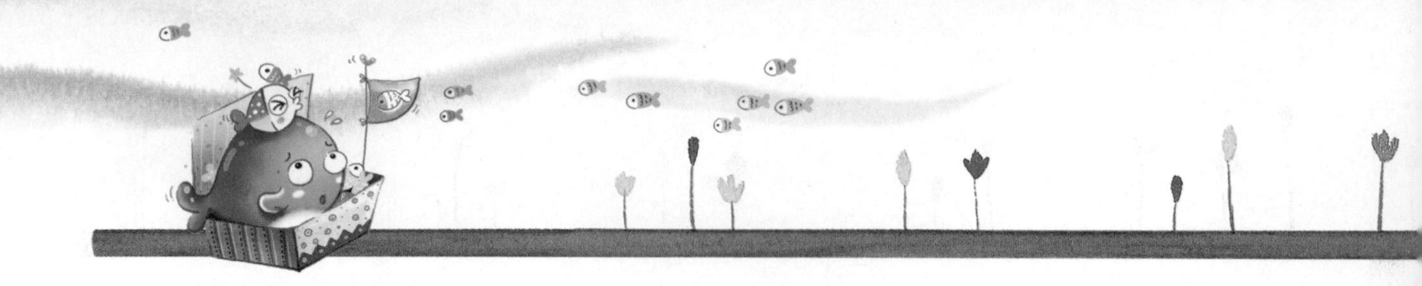

4 두 상자에 들어 있는 귤은 모두
88+68=156(개)입니다. 상자 나에서 가로 귤을 옮겨 넣고 난 뒤를 그림으로 나타내면 다음과 같습니다.

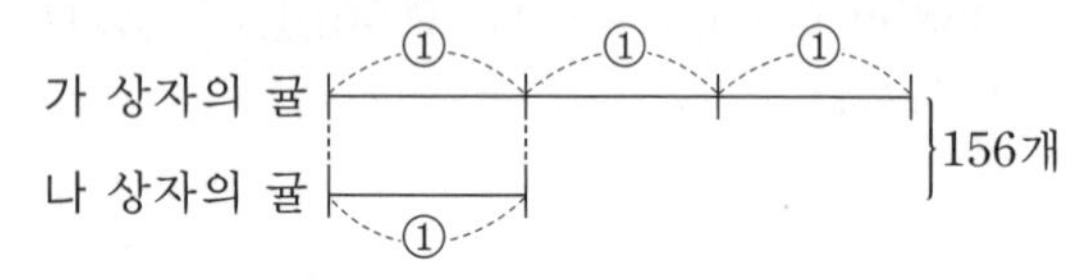

위의 그림에서 상자 나의 귤은
156÷(3+1)=39(개)가 되므로 상자 나에서 상자 가로 68−39=29(개)를 옮겨 넣었습니다.

5 같은 금액을 냈을 경우 카드를 25장씩 나누어 가지면 되는데 효근이가 영수보다 10장을 더 갖기로 하였으므로 효근이가 30장, 영수가 20장을 가졌습니다.

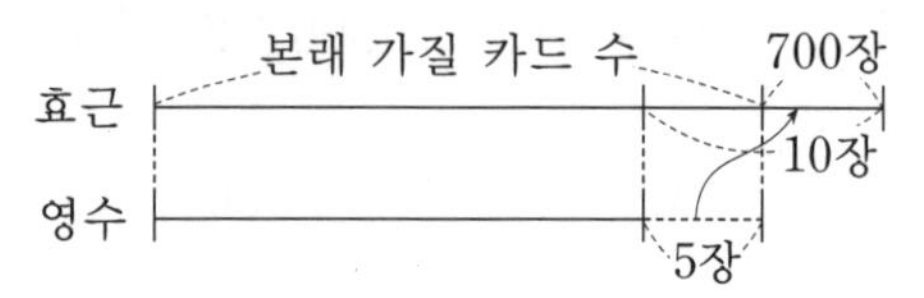

효근이는 본래 가져야 할 카드보다
30−25=5(장)을 더 가졌기 때문에 영수에게 700원을 준 것이므로 카드 한 장의 값은
700÷5=140(원)입니다.
따라서, 효근이와 영수가 처음에 낸 돈은 각각
140×25=3500(원)입니다.

6 용희가 가진 공책 수는 (56+4)÷2=30(권)이고, 용희가 본래 가져야 할 공책 수는
56÷2=28(권)이므로, 용희는 본래 가져야 할 공책보다 2권을 더 가져서 지혜에게 1000원을 준 것입니다.
따라서, 공책 한 권의 가격은
1000÷2=500(원)이고 지혜와 용희가 처음에 낸 돈은 모두 500×56=28000(원)입니다.

금메달 따기 p. 69

1 400원 2 4개
3 28cm

1 두 사람이 각각 2000원씩 내서 색도화지 40장을 샀으므로 색도화지 한 장의 값은
(2000+2000)÷40=100(원)입니다.
율기가 가진 색도화지는 (40+8)÷2=24(장)이고, 본래 가져야 할 색도화지는 40÷2=20(장)이므로, 율기는 본래 가져야 할 색도화지보다 24−20=4(장) 더 가졌습니다.
따라서, 율기는 상연이에게 100×4=400(원)을 주면 됩니다.

2 신영이와 규형이가 갖고 있는 사탕의 개수의 합은 90+110=200(개)이므로 규형이가 신영이에게 사탕을 주고 난 뒤에 규형이의 사탕은
(200+12)÷2=106(개)가 됩니다.
따라서, 규형이가 신영이에게 사탕을
110−106=4(개) 주었습니다.

3 한솔이와 석기가 갖고 있는 리본은 모두
80+120=200(cm)이므로 석기가 한솔이에게 리본을 주고 난 다음 석기는
(200−16)÷2=92(cm) 가 됩니다.
따라서, 석기가 한솔이에게 리본을
120−92=28(cm) 주었습니다.

12 차량의 통과에 관한 문제 해결하기

확인문제 p. 70

1 1390m 2 1500m
3 50초

2 1390+110=1500(m)

3 1500÷30=50(초)

동메달 따기 p. 71 ~ 72

1 31m	2 4m
3 20m	4 16초
5 21초	6 5분 5초

1 열차의 길이만큼인 155m를 5초 만에 간 셈이므로 1초에는 $155 \div 5 = 31$(m)를 달린 셈입니다.

2 버스의 길이만큼인 12m를 3초 만에 간 셈이므로 1초에는 $12 \div 3 = 4$(m)를 달린 셈입니다.

3 열차의 길이만큼인 160m를 8초 만에 간 셈이므로 1초에 $160 \div 8 = 20$(m)를 달린 셈입니다.

4 $(230+10) \div 15 = 16$(초)

5 열차가 움직여야 할 거리는
$300+120=420$(m)이므로
걸리는 시간은 $420 \div 20 = 21$(초)입니다.

6 버스가 움직여야 할 거리는
$7310+10=7320$(m)이므로
걸리는 시간은 $7320 \div 24 = 305$(초)
➡ 5분 5초입니다.

은메달 따기 p. 73 ~ 74

1 210m	2 459m
3 1100m	4 180m
5 120m	6 200m

1 열차가 움직인 거리는 $15 \times 20 = 300$(m)이므로 다리의 길이는 $300-90=210$(m)입니다.

2 버스가 움직인 거리는 $18 \times 26 = 468$(m)이므로 터널의 길이는 $468-9=459$(m)입니다.

3 자동차가 움직인 거리는 $24 \times 46 = 1104$(m)이므로 다리의 길이는 $1104-4=1100$(m)입니다.

4 열차가 움직인 거리는 $40 \times 22 = 880$(m)이므로 열차의 길이는 $880-700=180$(m)입니다.

5 1분 20초=80초입니다. 열차가 움직인 거리는 $14 \times 80 = 1120$(m)이므로 열차의 길이는 $1120-1000=120$(m)입니다.

6 고속열차는 1분에 $360 \div 60 = 6$(km)를 달리므로 30초에 $6 \div 2 = 3$(km) ➡ 3000m를 달립니다.
따라서, 고속열차의 길이는
$3000-2800=200$(m)입니다.

금메달 따기 p. 75

1 32초	2 1분 38초
3 1분 10초	

1 처음 열차가 움직인 거리는 $30 \times 40 = 1200$(m)이므로 터널의 길이는 $1200-140=1060$(m)입니다. 따라서, 길이가 220m인 다른 열차가 움직여야 할 거리는
$1060+220=1280$(m)이므로 걸리는 시간은 $1280 \div 40 = 32$(초)입니다.

2 열차의 길이는 $25 \times 106 - 2500 = 150$(m)이므로 열차가 터널을 통과하는 데 걸리는 시간은 $(1320+150) \div 15 = 98$(초) ➡ 1분 38초입니다.

3 버스는 1초에 $60 \div 5 = 12$(m)를 달리는 셈이므로 버스의 길이는 $12 \times 120 - 1430 = 10$(m)입니다.
따라서, 1초에 $12+4=16$(m)의 빠르기로 다리를 건너는 데 걸리는 시간은
$(1110+10) \div 16 = 70$(초) ➡ 1분 10초입니다.

13 남고 모자람의 관계를 이용하여 해결하기

확인문제 p.76

1 3, 5	2 4명
3 11조각	

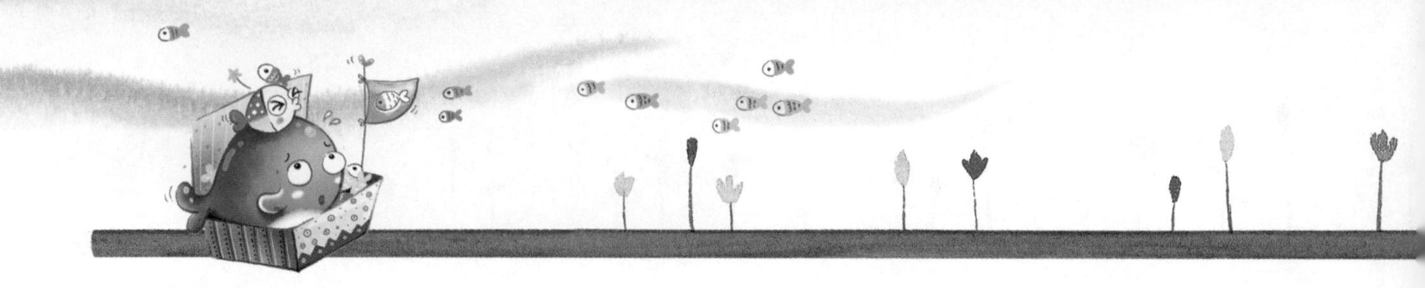

2 $(3+5)\div(4-2)=4$(명)

3 $2\times4+3=11$(조각)

동메달 따기 p. 77 ~ 78

1 222개 2 33m 40cm
3 4100mL
4 다람쥐 수 : 6마리, 도토리 수 : 24알
5 15자루 6 77개

1 사람 수를 □명이라 하면

4개 차이: 5개 $\xrightarrow{\times\square}$ 72개 남음 / 9개 $\xrightarrow{\times\square}$ 48개 부족 → 120개 차이

따라서, 사람 수는 $120\div4=30$(명)이고,
왕 수퍼마켓에 있는 아이스크림 수는
$5\times30+72=222$(개)입니다.

2 학생 수를 □명이라 하면

30cm 차이: 140cm $\xrightarrow{\times\square}$ 400cm 남음 / 170cm $\xrightarrow{\times\square}$ 230cm 부족 → 630cm 차이

따라서, 학생 수는 $630\div30=21$(명)이고, 종이 테이프의 길이는 $140\times21+400=3340$(cm)
➡ 33m 40cm입니다.

3 작은 통의 수를 □개라 하면

200mL 차이: 400mL $\xrightarrow{\times\square}$ 1700mL 남음 / 600mL $\xrightarrow{\times\square}$ 500mL 남음 → 1200mL 차이

따라서, 작은 통의 수는 $1200\div200=6$(개)이고,
큰 통에 있는 물은 $400\times6+1700=4100$(mL)
입니다.

4 다람쥐 수를 □마리라 하면

3알 차이: 8알 $\xrightarrow{\times\square}$ 24알 부족 / 5알 $\xrightarrow{\times\square}$ 6알 부족 → 18알 차이

따라서, 다람쥐의 수는 $18\div3=6$(마리)이고,
도토리 수는 $8\times6-24=24$(알)입니다.

5 학생 수를 □명이라 하면

4자루 차이: 7자루 $\xrightarrow{\times\square}$ 20자루 부족 / 3자루 $\xrightarrow{\times\square}$ 0 → 20자루 차이

따라서, 학생 수는 $20\div4=5$(명)이고,
연필 수는 $3\times5=15$(자루)입니다.

6 어린이 수를 □명이라 하면

4개 차이: 11개 $\xrightarrow{\times\square}$ 0 / 17개 $\xrightarrow{\times\square}$ 28개 남음 → 28개 차이

따라서, 학생 수는 $28\div4=7$(명)이고,
구슬 수는 $11\times7=77$(개)입니다.

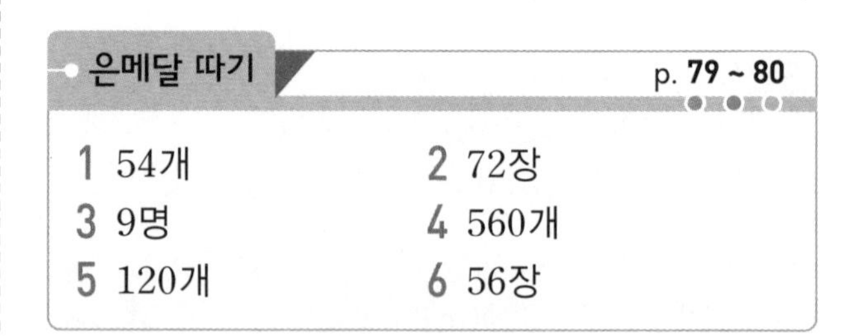

은메달 따기 p. 79 ~ 80

1 54개 2 72장
3 9명 4 560개
5 120개 6 56장

1 사람 수를 □명이라 하면

6개 차이: 5개 $\xrightarrow{\times\square}$ 14개 남음 / 11개 $\xrightarrow{\times\square}$ 34개 부족 → 48개 차이

따라서, 사람 수는 $48\div6=8$(명)이고,
밤 수는 $5\times8+14=54$(개)입니다.

2 사람 수를 □명이라 하면

2장 차이: 6장 $\xrightarrow{\times\square}$ 18장 부족 / 4장 $\xrightarrow{\times\square}$ 12장 남음 → 30장 차이

따라서, 사람 수는 $30\div2=15$(명)이고,
색종이 수는 $6\times15-18=72$(장)입니다.

3 전체 사람 수를 □명이라 하면

100원 차이: 600원 $\xrightarrow{\times\square}$ 200원 부족 / 500원 $\xrightarrow{\times\square}$ 800원 남음 → 1000원 차이

따라서, 사람 수는 $1000\div100=10$(명)이므로
용희의 친구는 $10-1=9$(명)입니다.

4 8개씩 넣어 10상자가 부족하다는 것은 배 80개가 남는다는 뜻과 같고, 10개씩 넣어 4상자가 남는다는 것은 배 40개가 부족하다는 뜻과 같습니다.
상자 수를 □상자라 하면

2개 차이: 8개 $\xrightarrow{\times\square}$ 80개 남음 / 10개 $\xrightarrow{\times\square}$ 40개 부족 : 120개 차이

따라서, 상자 수는 $120 \div 2 = 60$(상자)이고,
배의 수는 $8 \times 60 + 80 = 560$(개)입니다.

5 5개씩 넣어 주머니 14개가 부족하다는 것은 사탕 70개가 남는다는 뜻과 같고, 10개씩 넣어 주머니 2개가 부족하다는 것은 사탕 20개가 남는다는 뜻과 같습니다.
주머니 수를 □개라 하면

5개 차이: 5개 $\xrightarrow{\times\square}$ 70개 남음 / 10개 $\xrightarrow{\times\square}$ 20개 남음 : 50개 차이

따라서, 주머니 수는 $50 \div 5 = 10$(개)이고,
사탕 수는 $5 \times 10 + 70 = 120$(개)입니다.

6 7명의 학생들에게 똑같이 나누어 주었다면 도화지 수는 남거나 부족함이 없게 됩니다.
처음 도화지를 □장씩 나누어 주려고 하였다면

5명 차이: 7개 $\xrightarrow{\times\square}$ 0 / 12개 $\xrightarrow{\times\square}$ 40장 부족 : 40장 차이

따라서, 처음에는 $40 \div 5 = 8$(장)씩 나누어 줄 생각이었으므로 사 온 도화지 수는 $7 \times 8 = 56$(장)입니다.

별해
$42 \div (12-7) \times 7 = 56$(장)

금메달 따기 p. 81

1 12개	2 10개
3 117L	

1 사람 수를 □명이라 하면

6개 차이: 10개 $\xrightarrow{\times\square}$ 6개 남음 / 4개 $\xrightarrow{\times\square}$ 24개 남음 : 18개 차이

따라서, 사람 수는 $18 \div 6 = 3$(명), 삶은 달걀 수는 $10 \times 3 + 6 = 36$(개)이므로
한 사람당 $36 \div 3 = 12$(개)씩 주면 됩니다.

2 학생 수를 □명이라 하면

4개 차이: 11개 $\xrightarrow{\times\square}$ 8개 부족 / 7개 $\xrightarrow{\times\square}$ 24개 남음 : 32개 차이

따라서, 학생 수는 $32 \div 4 = 8$(명),
군밤 수는 $11 \times 8 - 8 = 80$(개)이므로
한 학생당 $80 \div 8 = 10$(개)씩 나누어 주면 됩니다.

3 5L씩 물을 담을 때 작은 물통이 2개 남고 마지막 물통에는 2L의 물을 담게 되므로 이것은 물이 $5+5+(5-2)=13$(L) 부족하다는 뜻과 같습니다.
작은 물통의 개수를 □개라 하면

2L 차이: 3L $\xrightarrow{\times\square}$ 39L 남음 / 5L $\xrightarrow{\times\square}$ 13L 부족 : 52L 차이

따라서, 작은 물통의 수는 $52 \div 2 = 26$(개)이고,
큰 물통의 들이는 $3 \times 26 + 39 = 117$(L)입니다.

14 부분을 알고 전체의 양 구하기

확인문제 p. 82

1 16	2 4명
3 28명	

2 $16 \div 4 = 4$(명)

3 $4 \times 7 = 28$(명)

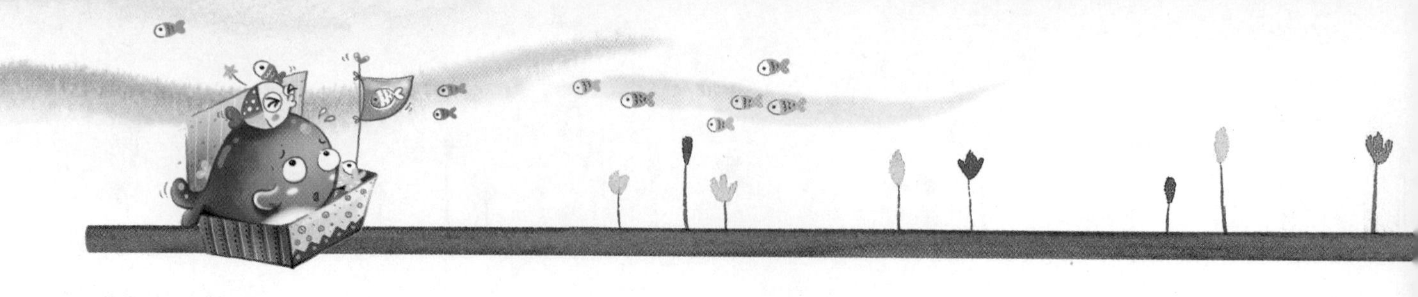

동메달 따기

p. 83 ~ 84

1 400mL　2 27개
3 250cm　4 36명
5 252개　6 675mL

1

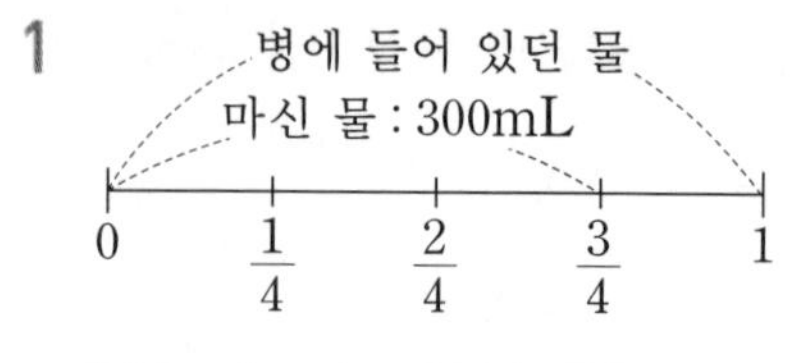

$300 \div 3 \times 4 = 400$(mL)

2

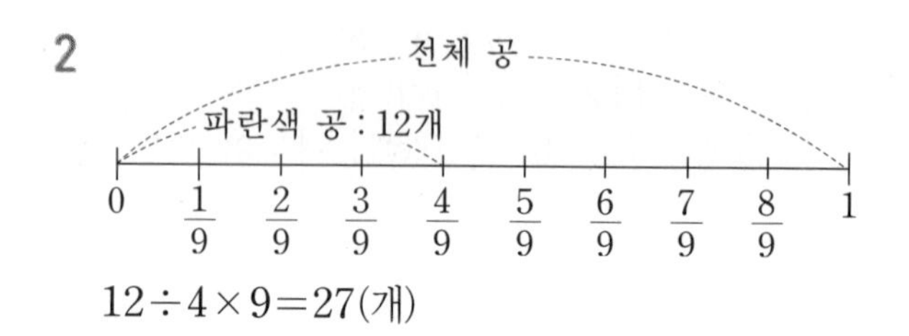

$12 \div 4 \times 9 = 27$(개)

3

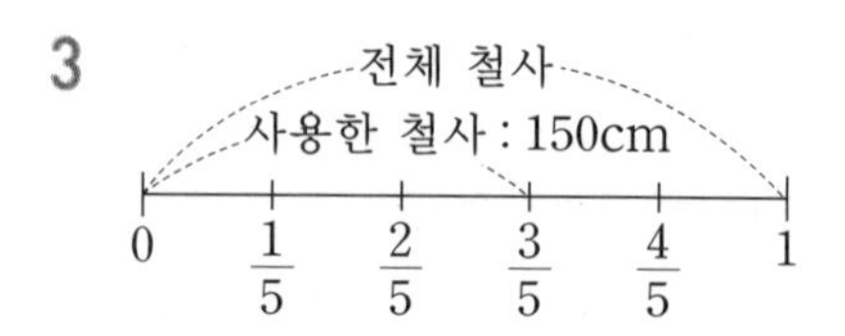

1m 50cm=150cm이므로
$150 \div 3 \times 5 = 250$(cm)입니다.

4 한별이네 반 여학생 수는 전체의 $1-\frac{5}{9}=\frac{4}{9}$이고, 이것은 16명을 뜻합니다.
따라서, 한별이네 반 학생은 $16 \div 4 \times 9 = 36$(명)입니다.

5 사과를 팔고 남은 개수는 전체의 $1-\frac{7}{12}=\frac{5}{12}$이고, 이것은 105개를 뜻합니다.
따라서, 과일 가게에 있던 사과는
$105 \div 5 \times 12 = 252$(개)입니다.

6 마시고 남은 주스는 전체의 $1-\frac{1}{3}=\frac{2}{3}$이고, 이것은 450mL를 뜻합니다.
따라서, 처음 병에 들어 있던 주스는
$450 \div 2 \times 3 = 675$(mL)입니다.

은메달 따기

p. 85 ~ 86

1 210장　2 36장
3 18개　4 35개
5 120　6 27개

1 색종이 한 묶음은 $20 \div 2 \times 7 = 70$(장)이므로 색종이 세 묶음은 $70 \times 3 = 210$(장)입니다.

2 한초가 가지고 있는 딱지는
$30 \div 5 \times 12 = 72$(장)입니다. 이 중 반을 친구에게 준다면, $72 \div 2 = 36$(장)을 주면 됩니다.

3 웅이가 가지고 있는 사탕은 $21 \div 7 \times 8 = 24$(개)입니다.

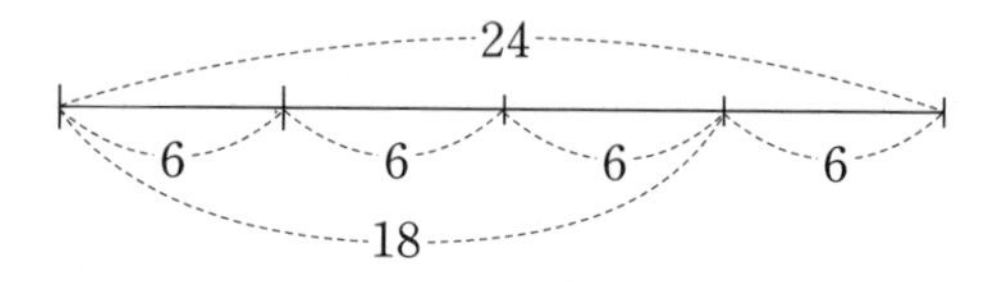

따라서, 24개를 4로 나눈 것 중 3은 18개입니다.

4 남아 있는 사탕 수는 처음 가지고 있던 사탕 수의 $1-\frac{5}{6}=\frac{1}{6}$이고, 이것은 7개를 뜻합니다.
처음 가지고 있던 사탕 수는 $7 \div 1 \times 6 = 42$(개)이므로 동민이가 먹은 사탕은 $42-7=35$(개)입니다.

5 어떤 수를 1이라 하면

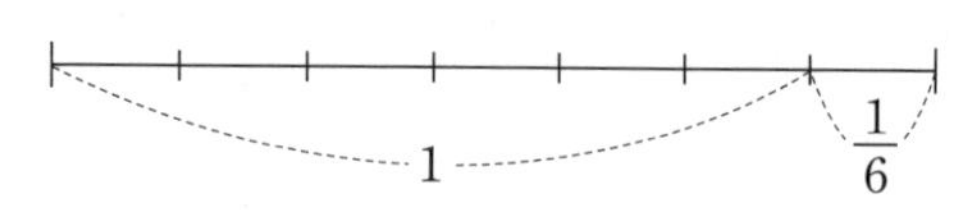

위의 그림에서 1의 크기는 $140 \div 7 \times 6 = 120$이므로 어떤 수는 120입니다.

6 한솔이가 가지고 있는 구슬 수를 1이라 하면 율기가 가지고 있는 구슬 수는 $\frac{1}{3}$입니다.

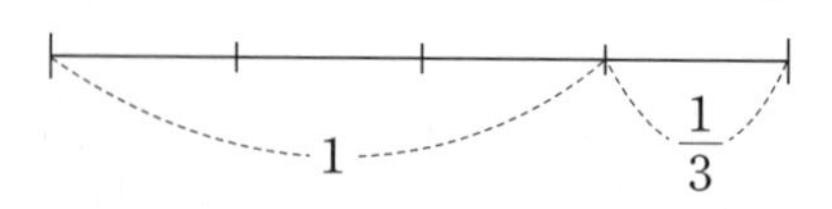

위의 그림에서 1의 크기는 $36 \div 4 \times 3 = 27$(개)이므로 한솔이가 가지고 있는 구슬 수는 27개입니다.

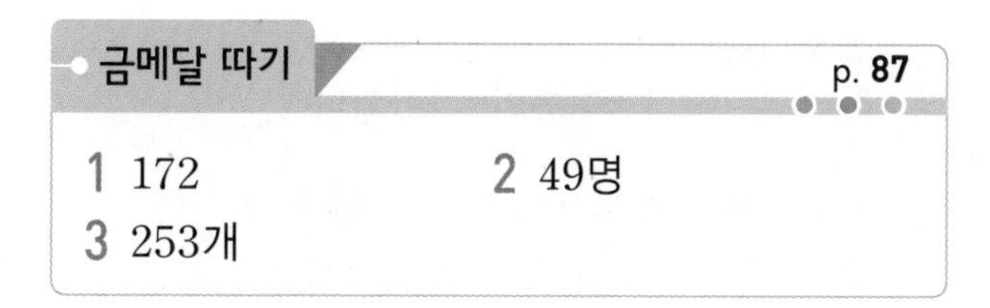
금메달 따기
p. 87

1 172　　2 49명
3 253개

1 ★을 1이라 하면

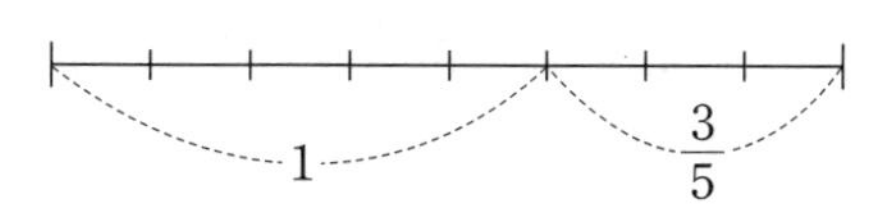

위의 그림에서 1의 크기는 $160 \div 8 \times 5 = 100$이므로 ★은 100입니다.
◆를 1이라 하면

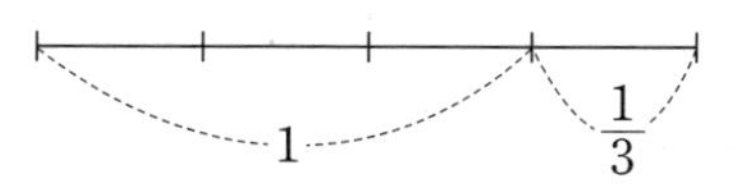

위의 그림에서 1의 크기는 $96 \div 4 \times 3 = 72$이므로 ◆는 72입니다.
따라서, ★+◆$=100+72=172$입니다.

2 운동장에서 놀고 있는 여학생 수를 1이라 하면

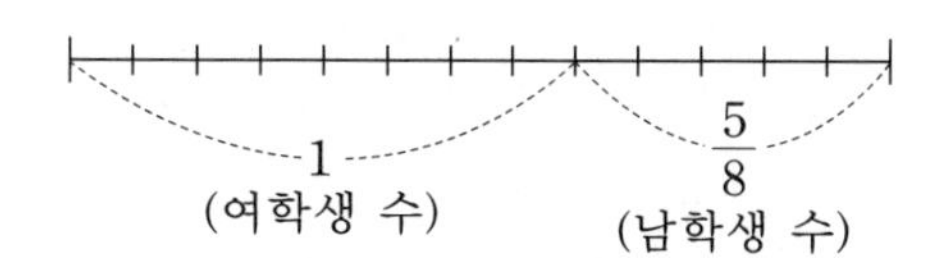

위의 그림에서 1의 크기는
$117 \div 13 \times 8 = 72$(명)이므로 운동장에서 놀고 있는 여학생 수는 72명입니다.
따라서, 운동장에 남아 있는 여학생 수는
$72-23=49$(명)입니다.

3 귤의 개수를 1로 하면, 사과의 개수는 $\frac{3}{8}$입니다.

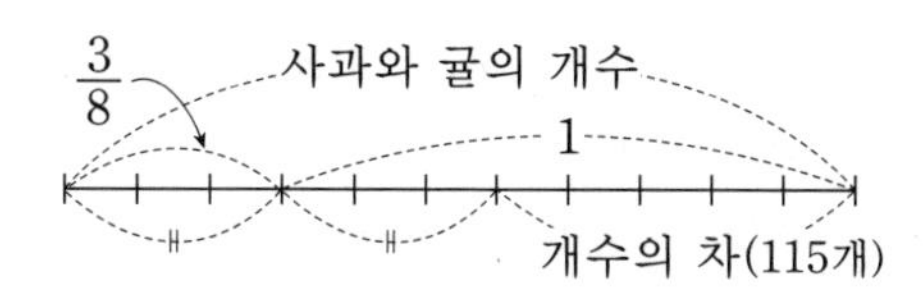

위의 그림에서 개수의 차 115개는 $\frac{5}{8}$에 해당합니다. 따라서, 사과와 귤의 개수는 모두
$115 \div 5 \times (3+8) = 253$(개)입니다.

15 전체를 한쪽으로 가정하여 해결하기

확인문제
p. 88

1 16개　　2 10개
3 $(26-16) \div (4-2) = 5$, 5마리

1 $2 \times 8 = 16$(개)

2 $26-16=10$(개)

동메달 따기
p. 89 ~ 90

1 6마리　　2 10마리
3 5마리　　4 11대
5 10대　　6 12개

1 낙타의 수를 물어보았으므로 10마리 모두 타조로 가정하여 식을 세웁니다. 10마리 모두 타조라면 다리 수는 $2 \times 10 = 20$(개)이고, 실제 다리 수는 32개이므로,
낙타는 $(32-20) \div (4-2) = 6$(마리)입니다.

2 15마리 모두 닭이라고 가정하면 다리 수는
$2 \times 15 = 30$(개)이고, 실제 다리 수는 50개이므로,
돼지는 $(50-30) \div (4-2) = 10$(마리)입니다.

3 13마리 모두 앵무새라고 가정하면 다리 수는
$2 \times 13 = 26$(개)이고, 실제 다리 수는 36개이므로, 코끼리는 $(36-26) \div (4-2) = 5$(마리)입니다.

4 18대 모두 오토바이로 가정하면 바퀴 수는
$2 \times 18 = 36$(개), 실제는 58개이므로, 자동차는
$(58-36) \div (4-2) = 11$(대)입니다.

5 25대 모두 세발자전거로 가정하면 바퀴 수는
$3 \times 25 = 75$(개)이지만 실제는 65개이므로, 두발자전거는 $(75-65) \div (3-2) = 10$(대)입니다.

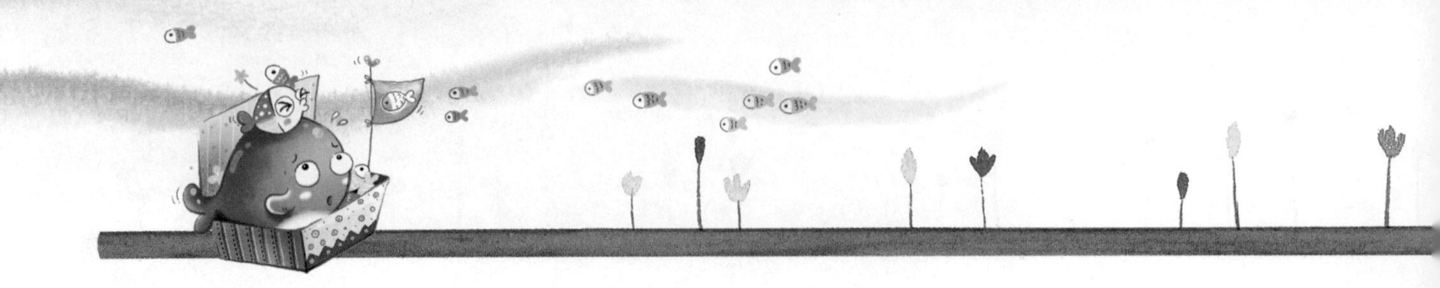

6 20개 모두 100원짜리로 가정하면 금액은 $100\times20=2000$(원)이지만 실제는 1400원이므로, 50원짜리 동전은 $(2000-1400)\div(100-50)=12$(개)입니다.

은메달 따기

p. 91 ~ 92

1 연필 : 3자루, 색연필 : 5자루
2 300원짜리 : 7개, 500원짜리 : 5개
3 코끼리, 6마리　　4 4마리
5 4봉지
6 사과 : 9개, 배 : 11개

1 8자루 모두 연필로 가정하면 돈은 $200\times8=1600$(원)이지만 실제는 2100원이므로, 색연필은 $(2100-1600)\div(300-200)=5$(자루), 연필은 $8-5=3$(자루)입니다.

2 12개 모두 300원짜리 초콜릿을 산 것으로 가정하면 돈은 $300\times12=3600$(원)이지만 실제는 4600원이므로, 500원짜리 초콜릿은 $(4600-3600)\div(500-300)=5$(개), 300원짜리 초콜릿은 $12-5=7$(개)입니다.

3 30마리 모두 코끼리로 가정하면 다리의 수는 $4\times30=120$(개)이지만 실제는 96개이므로, 독수리는 $(120-96)\div(4-2)=12$(마리)입니다. 따라서, 코끼리는 $30-12=18$(마리)이므로, 코끼리가 $18-12=6$(마리) 더 많습니다.

4 24마리 모두 염소로 가정하면 다리의 수는 $4\times24=96$(개)이지만 실제는 76개이므로, 오리는 $(96-76)\div(4-2)=10$(마리)입니다. 따라서, 염소는 $24-10=14$(마리)이므로, 염소와 오리의 수의 차는 $14-10=4$(마리)입니다.

5 10봉지 모두 5개씩 담아 놓은 것으로 가정하면 귤의 수는 $5\times10=50$(개)이지만 실제는 59개이므로, 8개씩 담아 놓은 봉지의 수는 $(59-50)\div(8-5)=3$(봉지), 5개씩 담아 놓은 봉지 수는 $10-3=7$(봉지)입니다. 따라서, $7-3=4$(봉지) 차이입니다.

6 사과 1개의 값은 $900\div3=300$(원)입니다. 20개 모두 사과를 산 것으로 가정하면 돈은 $300\times20=6000$(원)이지만 실제는 8200원이므로, 배는 $(8200-6000)\div(500-300)=11$(개), 사과는 $20-11=9$(개)입니다.

금메달 따기

p. 93

1 9자루　　2 1440원
3 7600원

1 연필과 색연필을 사는데 든 돈은 $5000-800=4200$(원)입니다. 색연필 수를 물었으므로 15자루 모두 연필을 산 것으로 가정하면 돈은 $250\times15=3750$(원)이지만 실제 든 돈은 4200원이므로, 색연필은 $(4200-3750)\div(300-250)=9$(자루)입니다.

2 35개 모두 150원짜리 물건을 산 것으로 가정하면 돈은 $150\times35=5250$(원)이지만 실제는 4890원이므로, 120원짜리 물건의 개수는 $(5250-4890)\div(150-120)=12$(개)입니다. 따라서, 120원짜리 물건을 사는데 든 돈은 $120\times12=1440$(원)입니다.

3 12kg 모두 감자를 산 것으로 가정하면 돈은 $800\times12=9600$(원)이지만 실제는 10800원이므로, 고구마의 무게는 $(10800-9600)\div(950-800)=8$(kg)입니다. 따라서, 고구마를 사는데 든 돈은 $950\times8=7600$(원)입니다.

총괄평가 1회 p. 94 ~ 98

1	864개	2	15명
3	12cm	4	18번
5	3L	6	4층
7	800g	8	37개
9	23m	10	36그루
11	0	12	204개
13	240m	14	40kg
15	5년 후	16	2년 전
17	16개	18	27초
19	52개	20	18대

1 27개씩 32묶음이라고 생각하면
$27\times32=864$이므로 배는 모두 864개입니다.

2 지혜가 가지고 있는 사탕의 수는
$14+19=33$(개)이고, 규형이가 가지고 있는 사탕의 수는 $(14+19)\times3-9=90$(개)입니다.
따라서, 규형이가 가지고 있는 사탕을 한 사람에게 6개씩 나누어 주면
$\{(14+19)\times3-9\}\div6=15$(명)에게 줄 수 있습니다.

3 두 리본의 길이를 각각 선분으로 나타내어 보면

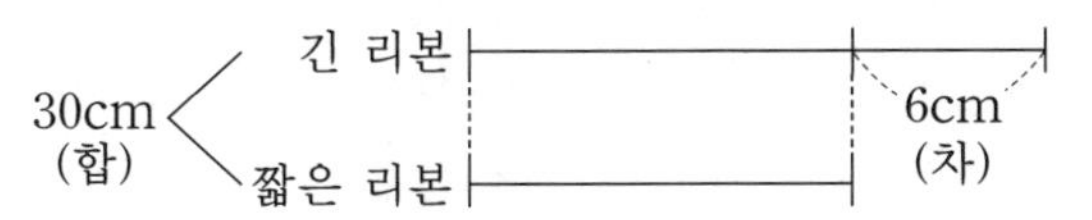

따라서, 짧은 리본의 길이는
$(30-6)\div2=12$(cm)입니다.

4 한초네 학교 축구팀이 이긴 횟수와 진 횟수를 각각 선분으로 나타내어 보면

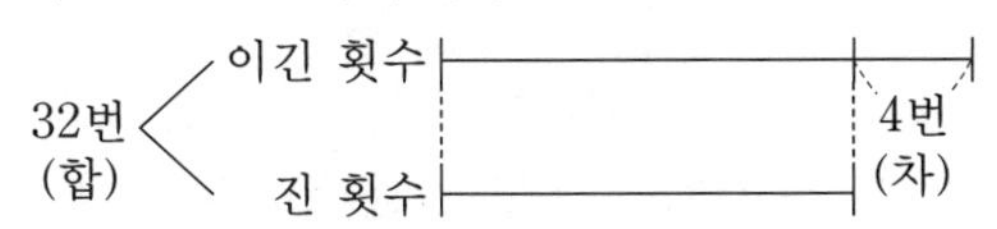

따라서, 작년에 한초네 학교 축구팀이 이긴 횟수는 $(32+4)\div2=18$(번)입니다.

5 문제를 그림으로 나타내면

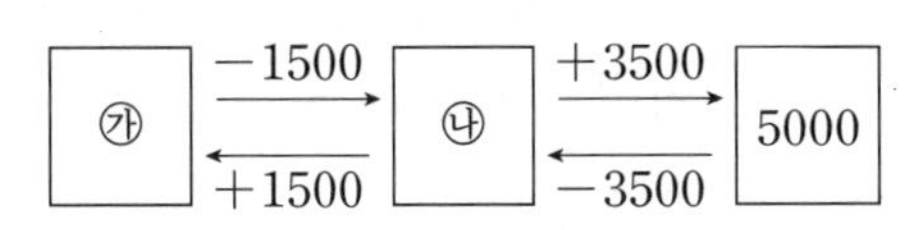

㉯에 들어갈 수는 $5000-3500=1500$,
㉮에 들어갈 수는 $1500+1500=3000$입니다.
따라서, 처음 수조에 들어 있던 물은
3000mL ➡ 3L입니다.

6 문제를 그림으로 나타내면

㉮ ⇄(+5 / −5) ㉯ ⇄(−4 / +4) ㉰ ⇄(+7 / −7) 12

㉰에 들어갈 수는 $12-7=5$, ㉯에 들어갈 수는 $5+4=9$, ㉮에 들어갈 수는 $9-5=4$입니다.
따라서, 처음에 규형이는 엘리베이터를 4층에서 탔습니다.

7 통조림 1개만큼의 차이가 나므로 통조림 1개의 무게는 $5800-4800=1000$(g)이고, 통조림 5개의 무게는 $1000\times5=5000$(g)입니다.
따라서, 빈 상자 1개의 무게는
$5800-5000=800$(g)입니다.

8 (한 변에 놓인 바둑돌의 개수)
$=\{$(둘레에 놓인 바둑돌의 개수)$\div4\}+1$
$=(144\div4)+1=36+1=37$(개)

9 간격의 수는 기둥의 수와 같으므로 42개입니다.
따라서,
(호수의 둘레)÷(간격의 수)
$=966\div42=23$(m)이므로 기둥을 23m 간격으로 세운 것입니다.

10 간격의 수는 $646\div38=17$(개)이므로 길의 한쪽에 필요한 나무는 $17+1=18$(그루)입니다.
따라서, 길의 양쪽에는 $18\times2=36$(그루)가 필요합니다.

11 1, 7, 7, 5, 3, 0, 4가 반복됩니다. 573째 번 수는 $573\div7=81\cdots6$에서 82째 묶음의 6번째 수이므로 0입니다.

12 반복되는 부분은 ▣⊙◈⊙◈◈이고, 이 중에는 ◈가 3개 들어 있습니다.
$410\div6=68\cdots2$이므로 반복되는 부분은 68묶음이 되고, 69째 묶음의 첫 번째와 두 번째에는 ◈가 없습니다.

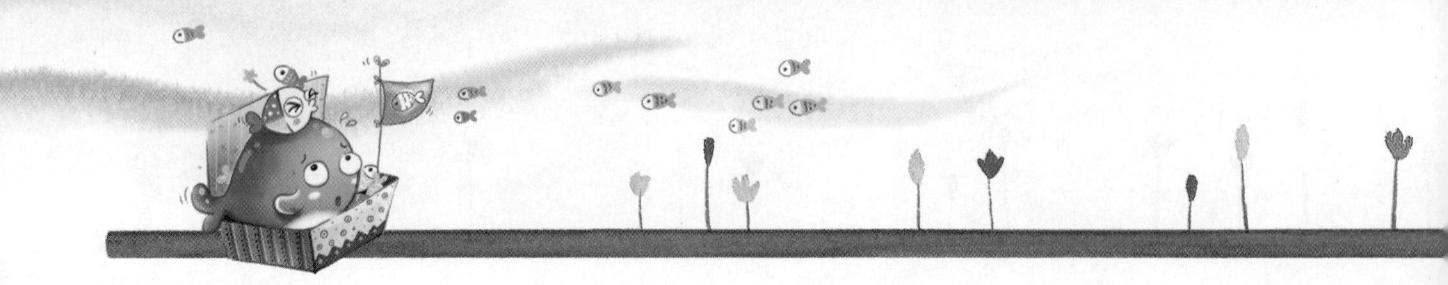

따라서, ◈는 모두 $3\times68=204$(개) 있습니다.

13 1km=1000m이므로 1km 200m=1200m입니다.
따라서, 한솔이는 자전거를 타고 1분당 평균 $1200\div5=240$(m)를 달린 셈입니다.

14 (석기, 영수, 지혜의 몸무게의 합)
$=38\times3=114$(kg)
(한초, 상연이의 몸무게의 합)$=43\times2=86$(kg)
(5명의 몸무게의 합)$=114+86=200$(kg)
따라서, 5명의 몸무게의 평균은
$200\div5=40$(kg)입니다.

15 할머니와 웅이의 나이 차는 항상 같습니다.
올해 할머니와 웅이의 나이 차는
$59-11=48$(살)이고, 할머니의 연세가 웅이의 나이의 4배가 되는 해의 웅이의 나이는
$48\div(4-1)=16$(살)입니다.
따라서, 할머니의 연세가 웅이의 나이의 4배가 되는 것은 $16-11=5$(년) 후입니다.

16 올해 아버지와 한별이의 나이의 차는
$42-10=32$(살)이고, 아버지의 연세가 한별이의 나이의 5배일 때의 한별이의 나이는
$32\div(5-1)=8$(살)입니다.
따라서, 아버지의 연세가 한별이의 나이의 5배가 되었던 때는 $10-8=2$(년) 전입니다.

17 두 상자에 들어 있는 귤은 모두
$90+69=159$(개)입니다. 상자 나에서 가로 귤을 옮겨 넣고 난 뒤를 그림으로 나타내면 다음과 같습니다.

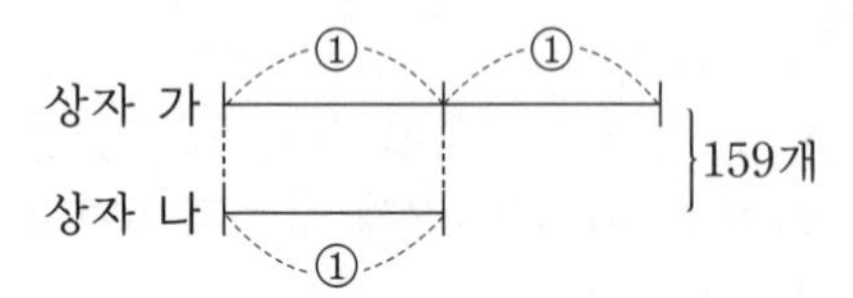

위의 그림에서 상자 나의 귤은
$159\div(2+1)=53$(개)가 되므로 상자 나에서 상자 가로 $69-53=16$(개)를 옮겨 넣었습니다.

18 열차가 움직여야 할 거리는
$400+140=540$(m)이므로 걸리는 시간은
$540\div20=27$(초)입니다.

19 사람 수를 □명이라 하면

2개 차이 〈 4개 —×□→ 8개 남음 〉 22개 차이
6개 —×□→ 14개 부족

따라서, 사람 수는 $22\div2=11$(명)이므로
밤은 $4\times11+8=52$(개)입니다.

20 30대 모두 세발자전거로 가정하면 바퀴 수는 $3\times30=90$(개)이지만 실제는 72개이므로, 두발자전거는 $(90-72)\div(3-2)=18$(대)입니다.

총괄평가 2회 p. 99 ~ 103

1	20자루	2	2900원
3	7200원	4	2kg
5	3cm	6	200원
7	1200원	8	136장
9	289개	10	2553m
11	225000원	12	34
13	7시간	14	30세
15	225mL	16	4번
17	393m	18	15조각
19	16개	20	6마리

1 240을 12묶음으로 나누면 $240\div12=20$이므로 한 사람에게 20자루씩 나누어 주면 됩니다.

2 토마토 5개의 값은 $1500\div6\times5=1250$(원)이고, 키위 5개의 값은 $330\times5=1650$(원)입니다.
따라서, 토마토 5개와 키위 5개의 값은 모두
$1500\div6\times5+330\times5=1250+1650$
$=2900$(원)입니다.

3 1시간 20분=80분 동안 보트 5척을 빌리는 데 드는 돈은 $2700\times8\times5=108000$(원)입니다.
따라서, 15사람이 똑같이 돈을 낸다면 한 사람은 $2700\times8\times5\div15=7200$(원)을 내야 합니다.

4 300g=0.3kg입니다. 수박 1통의 무게와 멜론 1통의 무게를 각각 선분으로 나타내어 보면

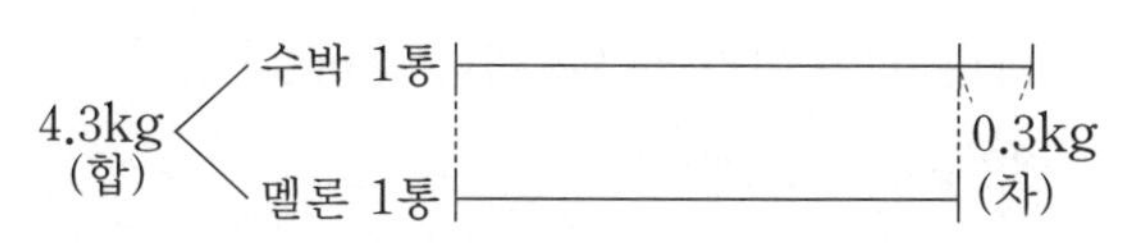

따라서, 멜론 1통의 무게는
$(4.3-0.3)\div2=2$(kg)입니다.

5 문제를 그림으로 나타내면

㉮	-0.9 → / ← $+0.9$	㉯	$+1.6$ → / ← -1.6	3.7

㉯에 들어갈 수는 $3.7-1.6=2.1$, ㉮에 들어갈 수는 $2.1+0.9=3$입니다.
따라서, 영수가 처음에 공책에 그은 선분은 3cm입니다.

6 귤 5개와 감 3개는 귤 4개와 감 3개와의 관계에서 귤 1개만큼의 차이가 납니다.
따라서, 귤 1개의 값은 $1900-1700=200$(원)입니다.

7 샤프 3개와 샤프심 4통은 샤프 2개와 샤프심 4통과의 관계에서 샤프 1개만큼의 차이가 납니다.
샤프 1개의 가격은
$2700-2200=500$(원)이므로
샤프 2개의 가격은 $500\times2=1000$(원)입니다.
따라서, 샤프심 4통의 가격은
$2200-1000=1200$(원)입니다.

8 둘레에 놓인 카드를 4등분 하여 생각합니다.
따라서, $(35-1)\times4=136$(장)입니다.

9 둘레에 놓인 동전의 개수는
$6400\div100=64$(개)이므로 한 변에 놓인 동전의 개수는 $(64\div4)+1=17$(개)입니다.
따라서, 동전 전체의 개수는
$17\times17=289$(개)입니다.

10 도로의 한쪽에는 $140\div2=70$(그루)의 가로수가 심어져 있으므로 간격은 69개입니다.
따라서, 도로의 길이는
$37\times69=2553$(m)입니다.

11 간격의 수는 $754\div29=26$(개)이므로 잣나무는 25그루 필요합니다.
따라서, 필요한 잣나무를 사는 데
$9000\times25=225000$(원)이 듭니다.

12 6월 30일은 5월 12일부터 $19+30=49$(일) 후이므로 $49\div7=7$에서 일요일입니다. 7월 1일이 첫째 주 월요일이므로 첫째 주 수요일은 3일이고, 다섯째 주 수요일은 $3+7\times4=31$(일)입니다.
따라서, 합을 구하면 $3+31=34$입니다.

13 1시간=60분, 1주일=7일임을 이용하여 문제를 해결합니다.
(2주일 동안 연습한 시간)
$=30\times7\times2=420$(분)
따라서, 규형이가 2주일 동안 피아노를 연습한 시간은 $420\div60=7$(시간)입니다.

14 나이의 차가 20살이고, 삼촌의 연세가 상연이의 나이의 3배가 되도록 그림을 그려 봅니다.

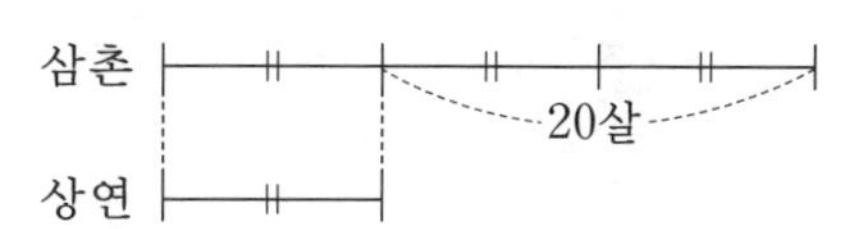

위의 그림에서 상연이의 나이는
$20\div(3-1)=10$(세)이므로
삼촌의 연세는 $10\times3=30$(세)입니다.

15 물병 두 개에 담긴 물의 양의 합은
$500+950=1450$(mL)입니다.
물을 옮겨 넣은 후의 두 물병의 물의 양은 각각
$1450\div2=725$(mL)입니다.
따라서, 물병 나에서 가로
$950-725=225$(mL)를 옮겨 넣은 것입니다.

16 두 창고에 있는 벽돌의 개수의 합은
$300+620=920$(장)이므로 두 창고의 벽돌이 각각 $920\div2=460$(장)이 되어야 합니다.
따라서, $(620-460)\div40=4$(번) 만에 두 창고의 벽돌의 개수가 같아졌습니다.

17 버스가 움직인 거리는
$16\times25=400$(m)이므로 터널의 길이는

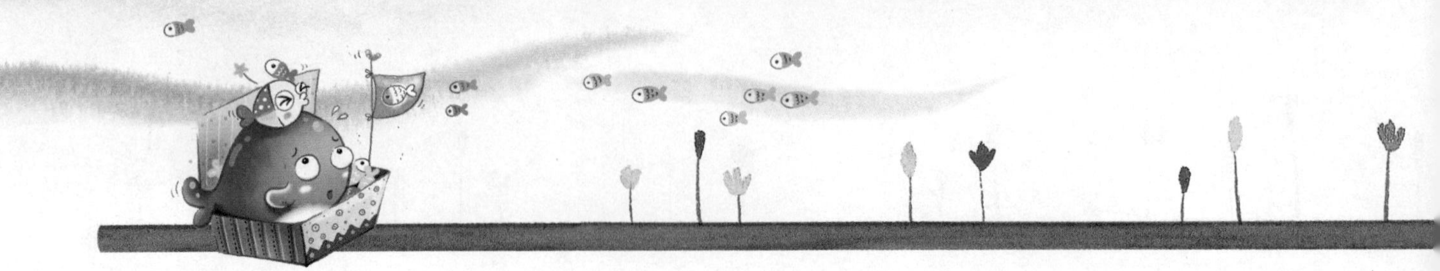

400−7=393(m)입니다.

18 학생 수를 □명이라 하면

$$\text{4조각 차이}\left\langle\begin{array}{l}\text{2조각}\xrightarrow{\times\square}\text{7조각 남음}\\ \text{6조각}\xrightarrow{\times\square}\text{9조각 부족}\end{array}\right\rangle\text{16조각 차이}$$

따라서, 학생 수는 16÷4=4(명)이므로 케이크는 2×4+7=15(조각) 있습니다.

19 웅이가 가지고 있는 사탕은 20÷5×8=32(개)입니다.

따라서, 웅이가 가지고 있는 사탕의 $\frac{1}{2}$은 32÷2=16(개)입니다.

20 22마리를 모두 염소로 가정하면 다리의 수는 4×22=88(개)이지만 실제는 60개이므로, 오리의 수는 (88−60)÷(4−2)=14(마리)입니다. 따라서, 염소는 22−14=8(마리)이므로, 염소와 오리의 수의 차는 14−8=6(마리)입니다.

Memo

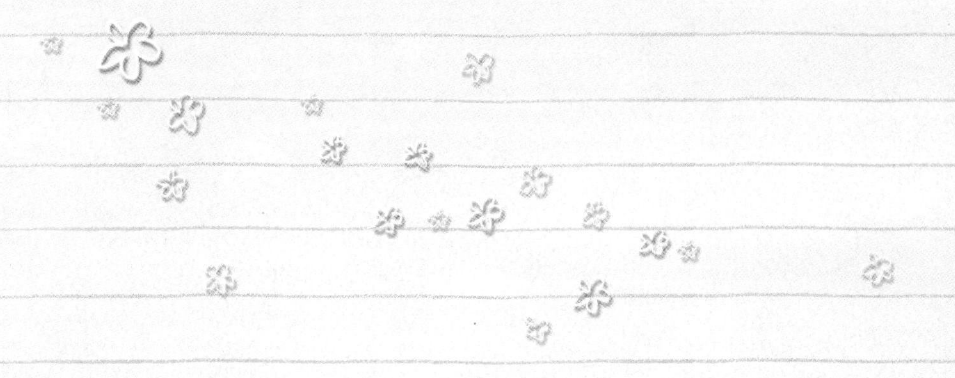

Memo

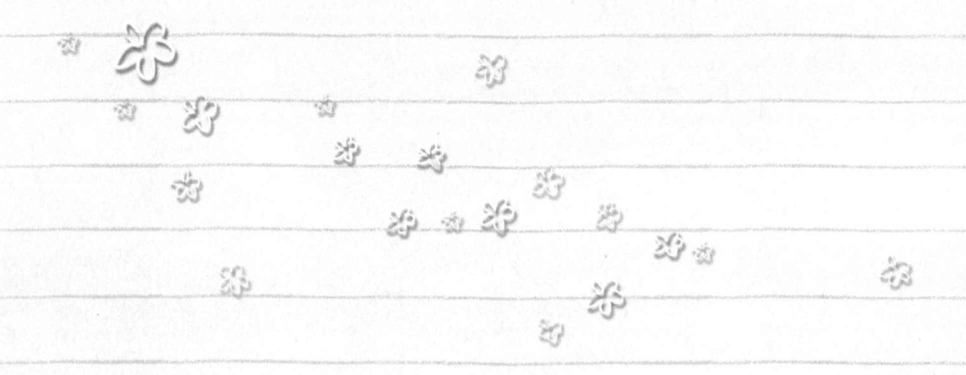

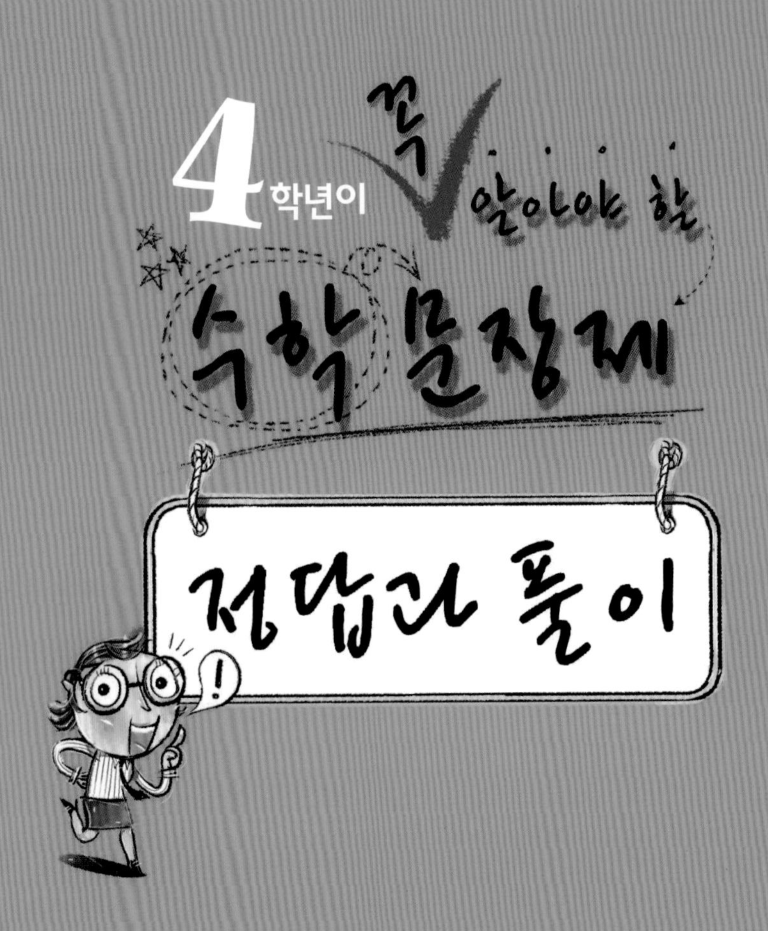
4학년이 꼭 알아야 할
수학 문장제
정답과 풀이
!